Reflexología

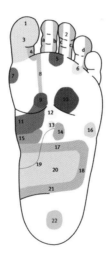

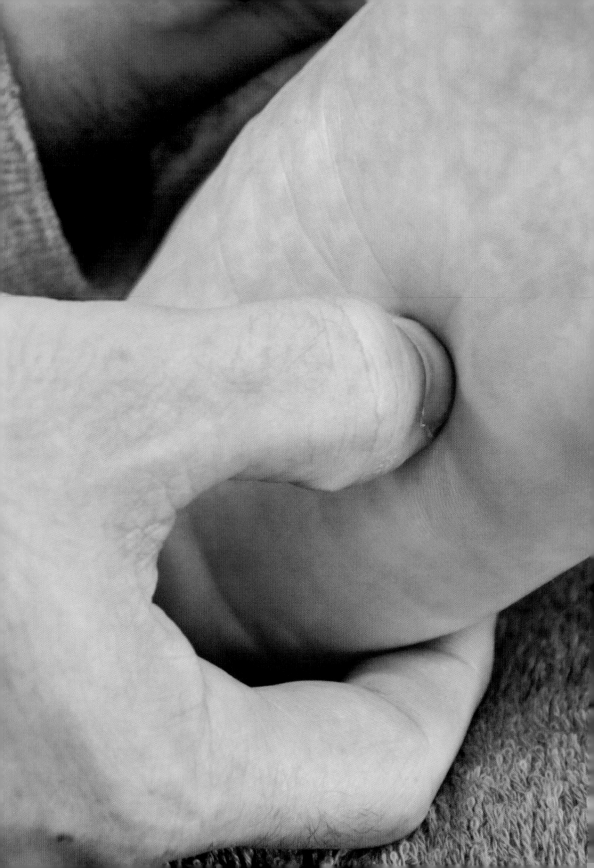

Reflexología

- ▶ Activa tu energía vital y equilibra tu cuerpo
- ▶ Alivio natural de dolencias cotidianas

Víctor Viñas

 HISPANO EUROPEA

Índice

Dedico este libro especialmente a mi esposa, que sin su apoyo y cariño no habría podido llevar a término.

A Carmen que en su papel de madre emocional me dio el equilibrio en los momentos más difíciles de mi vida.
A mi hermana Teresa, que en sus últimos días me abrió las puertas hacia la práctica de la Reflexología Podal.

Presentación

En este libro os voy a describir de una forma fácil y amena el funcionamiento de la Reflexología Podal o masaje terapéutico de los pies. Es mi intención que podáis aprender de un modo sencillo y práctico cómo se aplica esta técnica. Es esta una práctica que va a cambiar vuestro día a día mejorándolo, a la vez que aumentará vuestra calidad de vida.

Con algunos conocimientos básicos y un poco de práctica, que es interesante que la realicéis en un principio con vosotros mismos y con gente de vuestro entorno familiar para ir aprendiendo a buscar y manipular los puntos e ir familiarizándoos con los pies, veréis que seréis muy capaces de aplicar esta técnica y contribuir a aumentar vuestro bienestar y el de los demás. Incluso, os daré algunas pautas y os describiré cómo podéis realizar un pequeño masaje a vuestros hijos, para, de ese modo, poder ayudarles en sus pequeñas y más comunes dolencias, como pueden ser:

▶ Dolor de barriga causado por los gases.
▶ Dolor de oído como la otitis.
▶ Resfriados comunes.
▶ Fiebre.
▶ Vómitos, colitis, etc.

Esta técnica en los bebes y los niños va a ayudar a mantenerlos más activos y sanos, y va a ayudarles en su día a día. La vida de un niño está llena de cambios y aprendizajes que le pueden llevar a un estado de gran estrés, es por ello que también aprenderemos qué hacer para ayudarles.

Tendremos en cuenta en todo momento que esta técnica nunca sustituye a los médicos de medicina tradicional, como en todas las terapias alternativas, la Reflexología es un método de ayuda y complementa para sentirnos aún mejor, en ningún caso es un método de sanación único ni principal que anule a los profesionales médicos.

Para empezar a introduciros en la Reflexología Podal, os hablaré a grandes rasgos de sus orígenes y propiedades, sin extenderme en ello, ya que considero que lo más interesante es conocer la terapia en sí y su práctica. Podréis comprobar, con la lectura de este libro y con el visionado del vídeo, que la técnica no es ni mucho menos complicada y que la podréis aplicar en poco tiempo, tanto a vosotros mismos como a los demás, con unos resultados plenamente satisfactorios.

Esta práctica os abrirá un mundo de sensaciones al mejorar ostensiblemente vuestra calidad de vida y con la satisfacción de ayudar a los demás en unas dolencias que a veces parecen difíciles de solucionar.

La Reflexología es una técnica milenaria que ya conocían y utilizaban los antiguos egipcios y chinos. Si bien esta terapia se puede aplicar tanto a las manos como a los pies, es en estos últimos donde resulta más efectivo.

En este libro trataremos esencialmente la técnica que se aplica en los pies, que es a su vez, como os he apuntado anteriormente, la mas efectiva y con la que obtendréis mayores y mejores resultados.

La técnica básicamente consiste en aplicar una suave presión en ciertas zonas reflejas de los pies que se relacionan con partes del cuerpo u órganos.

Hay en la actualidad muchas variantes de esta técnica que en cualquiera de sus vertientes siempre resultan efectivas, ya que al tener muy pocos efectos secundarios es seguro que no nos harán daño y siempre nos van a ayudar. Es recomendable aplicarla siempre con la intención y convicción de ayudar a la persona a la que manipulemos los pies, con un estado de ánimo positivo y pensando siempre en su bienestar, pensamientos que han de ser siempre el centro de nuestra pretensión en la vida.

Una terapia complementaria, como la Reflexología, va a ayudar a nuestro organismo a regularse mediante la manipulación de los puntos de reflejos de nuestros pies, regulando los órganos que se reflejan en los puntos que manipulamos y que, a su vez, activan las defensas naturales de nuestro organismo y así se fortalece y regenera.

La Reflexología Podal como la mayoría de las Terapias alternativas nos va nivelar energéticamente a la vez que regula nuestro organismo de manera natural, esto es, activa las defensas naturales que nuestro organismo tiene y que en la mayoría de los casos no sabemos poner en marcha y que con esta técnica en concreto pondremos en funcionamiento.

Al tratarse de una técnica de contacto entre el terapeuta y el paciente se logra una sensación de bienestar que nos ayudará a mejorar tanto durante como después de las sesiones. Habitualmente en esta técnica, la simbiosis entre el paciente y el terapeuta es casi total, ya que mientras estamos buscando y manipulando los puntos reflejos del paciente/cliente, estamos hablando de sus dolencias y estamos comprobando así mismo cómo se relacionan las sensaciones del paciente con los puntos que se nos van descubriendo y esto nos va a dar una sensación de dar una ayuda inestimable.

La Reflexología Podal nos ayudará a mantenernos más activos, mejorar nuestra calidad de vida y prevenir diferentes dolencias que en el día a día afloran en nuestro organismo, a la vez que depuramos toxinas que se acumulan en nuestro cuerpo, al activar nuestro sistema linfático, digestivo e intestinal ya que se refuerza el equilibrio energético. Con esta técnica aprenderemos a darle mucha más importancia a los pies, a cuidarlos y a prestarles mucha más atención ya que son una parte muy importante de nuestro cuerpo y muchas veces los grandes olvidados.

Hoy en día existen diferentes técnicas de Reflexología Podal, pero en este libro pretendo mostraros una técnica sencilla y práctica que a la vez os enseñará a tener un cuidado correcto de los pies y de las manos para llevar a cabo una buena sesión de Reflexología Podal. También

podréis aprender a fabricar unas sencillas herramientas para manipular aquellos puntos más inaccesibles.

Al ser una técnica que no está aún reglada oficialmente y como os he planteado anteriormente, existen muchas variantes, en este libro os presento una técnica ya probada y utilizada desde hace muchos años en España por infinidad de Terapeutas con unos resultados probados empíricamente y con infinidad de trabajos publicados que dan fe de su eficacia.

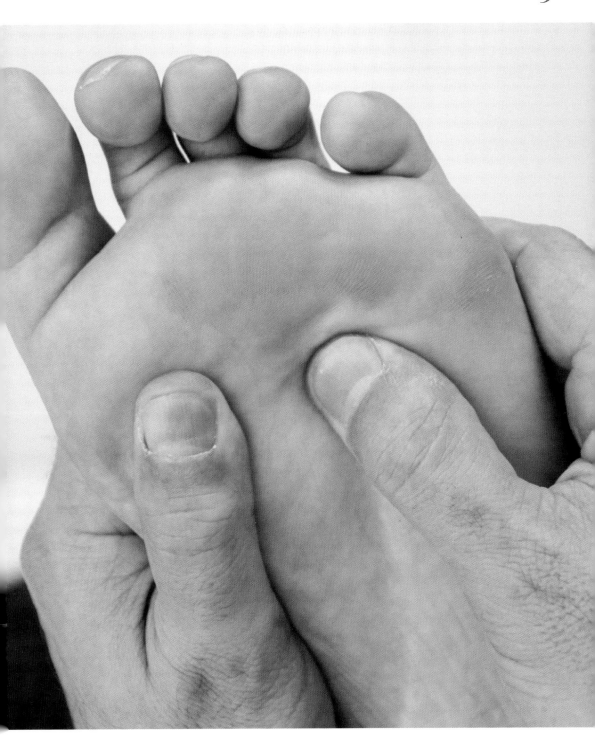

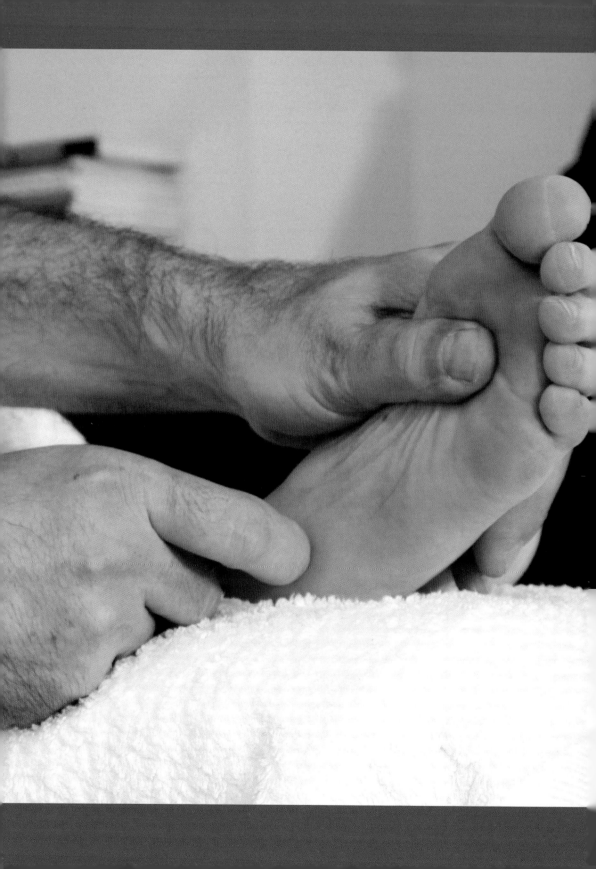

Introducción a la Reflexología Podal

Historia de la Reflexología Podal

La Reflexología Podal o Reflexoterapia es una técnica de detección de puntos reflejos en los pies que ya conocían y utilizaban los antiguos de casi todas las culturas. La antigua China ya conocía las bonanzas de la Reflexología que producía bienestar no solo en los pies, sino a otras partes de nuestro organismo, y se utilizaba no solo para sanar dolencias sino para prevenirlas, que es la base de casi todas las terapias alternativas.

Si tenemos que buscar los inicios de la Reflexología, los encontraríamos en el momento en el que el ser humano empezó a andar. La naturaleza nos ha dotado de mecanismos para detectar los posibles trastornos, tanto físicos como emocionales, y así poderlos resolver de una forma natural.

El dolor no es más que un sistema de alarma que se manifiesta en nuestro organismo para decirnos que algo no va bien, y el hecho de que sea en los pies, a la vez que se manifiesta el dolor, también nos da la herramienta para poder solucionarlo, así pues, nuestros antepasados ya tenían la clave para poder solucionar muchos de sus problemas tan solo por el hecho de andar.

De todos es sabido que andar por la playa descalzos o sobre el césped nos produce una sensación de bienestar y alivio. Todos hemos hecho el gesto de apretarnos los dedos de las manos y cerrar los puños al sentir un intenso dolor, o apretar los dedos de los pies contra la suela de los zapatos, pues estos gestos instintivos nos devuelven a lo que nuestro organismo ya sabe y reconoce para aliviar los dolores.

Por todos es sabido que hacernos un masaje en los pies cuando estamos cansados nos relaja tanto física como emocionalmente. Posiblemente en más de una ocasión hemos oído de nuestros abuelos o mayores, que tomar baños de agua muy fría o muy caliente nos ayudaban a regular la circulación de los pies a la vez que nos devolvían nuestro estado de ánimo a un buen nivel.

Nunca hemos de desdeñar los consejos y la experiencia de nuestros ancestros, ellos sabían muy bien cómo ayudarse y ayudar a los demás con muy pocos medios y remedios caseros que, por suerte para todos nosotros, hoy en día vuelven a estar de moda y gracias a ellos podemos sentirnos mejor en infinidad de ocasiones.

En las antiguas civilizaciones americanas pre-colombinas, los curanderos o chamanes de las tribus indígenas ya conocían los beneficios de la manipulación de los pies para la cura y tratamiento de diversas enfermedades.

En el antiguo Egipto ya se sabía de los beneficios de manipular los pies, tal y como se demuestra en un grabado egipcio de más de 4.000 años de antigüedad encontrado en una pared de la llamada «Tumba de los médicos», en el que se pueden ver unas figuras figuras humanas manipulando los pies y las manos. La transcripción de los jeroglíficos encontrados podría ser muy actual, en el que el paciente implora: «no me hagáis sufrir», a lo que el antiguo sanador contesta: «me agradecerás estás acciones».

En la antigua Europa, un informe sobre el escultor de Florencia Benbenuto Cellini (1500-1571), uno de los mejores discípulos de Miguel Angel y creador del Perseo de bronce que se irguió en su Florencia natal, en pleno renacimiento, nos dice que se trató estadios de dolor agudo mediante la manipulación de los pies.

En todo caso la Reflexología moderna occidental se empezó a gestar en EE.UU. de la mano del Dr. William Fitgerald en el año 1913.

Ejemplo del grabado egipcio en la «Tumba de los médicos», Sakkarah (Egipto).

El Dr. Fitgerald, comprobó que mediante presiones en diferentes partes del cuerpo podía practicar operaciones en nariz y garganta, sustituyendo así el uso de los anestésicos de la época.

Con el tiempo, el Dr. Fitgerald fue desarrollando la teoría de que el cuerpo está recorrido por unos meridianos (comparables a los utilizados en la medicina tradicional china, MTC), cuyo recorrido va desde los dedos de los pies hasta la cabeza. Es por eso que se debe considerar al Dr. Fitgerald como el pionero de la Reflexología Podal, la realidad es que nunca prestó mucha atención a las áreas reflejas de los pies, si comparamos a la atención que puso en las manos y sus dedos.

En realidad fue otro médico, el Dr. H. Bond Bressler, quien por primera vez expuso en una obra sobre Terapia Zonal todas unas zonas reflejas de los pies, las manos y también de las orejas.

En la actualidad la Reflexología Podal está muy extendida en casi todos los países occidentales, en Europa la tratan mayoritariamente médicos y terapeutas especializados, mientras que en EE.UU. esta técnica está más concebida como auto-tratamiento o remedios caseros, lo que no es obstáculo para que haya gran cantidad de terapeutas que la practiquen de un modo profesional.

Uno de los precursores de la Reflexología en España es el Dr. Frederic Viñas, formado en España y Alemania, país este último donde la Reflexología ya estaba muy implantada. Escribió su primer artículo en la revista Integral (núm. 10 y 11), realizó cursos por toda la geografía española, y publicó su libro *La Respuesta está en los Pies* (Integral, 1986). Es desde aquella época que la Reflexología Podal ha ido ganando adeptos en todos los ámbitos profesionales en España a causa de su demostrada eficacia parea tratar muchas conocidas dolencias.

Actualmente la Reflexología Podal está ya muy extendida en todo el país, son muchas las academias que imparten cursos, dándose incluso como cursos de post-grado en algunos estudios universitarios como el de Fisioterapia y Enfermería.

Cómo funciona la Reflexología Podal

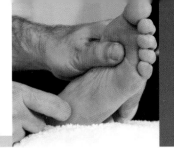

En este libro intentaré hacer amena, divertida y sencilla la Reflexología Podal, con una técnica que nos ayudará a mejorar nuestra calidad de vida, haciendo que se reequilibre energéticamente nuestro organismo, al tiempo que hará que muchas de nuestras dolencias y alteraciones desaparezcan o se hagan mucho más llevaderas.

Desde la aparición y expansión en España de la Reflexología Podal, han aparecido diferentes técnicas, que aunque parezcan similares, no lo son. La técnica que os presentaré en este libro es el resultado de muchos años de aplicarla bajo los cursos y libros del Dr. Frederic Viñas y mi experiencia personal, se trata pues de hacer unas manipulaciones lo más agradables posibles al paciente, sin llevarlo a límites de dolor, por otra parte, nunca recomendables.

La técnica que os mostraré en este libro es de una práctica muy sencilla y estoy seguro que la podréis realizar todos, siempre teniendo en cuenta el cuidado de las manos, de los pies y la forma correcta de manipular los puntos, pero de todo ello ya os hablaré en el transcurso del libro, paso a paso y claramente para que no existan dudas.

De lo que se trata es de que sepáis que esta terapia que nos va a ayudar a mejorar nuestra calidad de vida y mejorar nuestro organismo regulándolo tanto física como energéticamente.
Nunca obviaremos los tratamientos de la medicina tradicional ya que esta técnica no trata de sustituir sino de ayudar en todos los ámbitos a cualquier tratamiento.

La Reflexología Podal se puede aplicar tanto en las manos como en los pies, pero es en estos últimos donde os enseñaré a tratar todo tipo de dolencias, ya que las manos, al ser las herramientas que más utilizamos, nos pueden dar o mostrar puntos no correctos o dolores que no tengan nada que ver con lo que estamos buscando. Aunque los pies y las manos en este sentido son simétricos en lo que respecta a la búsqueda de puntos, veréis como es mucho más fácil la búsqueda y localización de los mismos en los pies.

También se puede dar el caso de que no encontremos puntos en los pies de personas que por su actividad diaria o por su fisiología (en el caso de corredores o personas que tengan muchas duricias o callosidades) no aparezcan los puntos, y en este caso nos encontraremos con los llamados «pies mudos». Es en este caso cuando podremos probar la búsqueda de los mismos puntos en las manos, siempre teniendo en cuenta la patología del paciente para así localizar correctamente los puntos que se correspondan y no errar en el tratamiento.

En todo caso la técnica que aplicaremos será la misma tanto para localizar los puntos como para manipularlos, siempre teniendo en cuenta que las manos son una parte de nuestro cuerpo habitualmente más pequeña que nuestros pies a la hora de hacer este tipo de tratamientos.

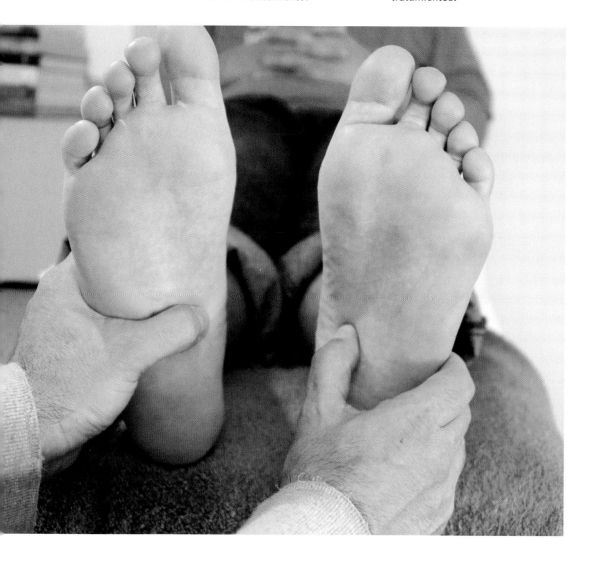

La Reflexología Podal es una terapia complementaria, nunca será sustitutiva de la posible medicación alopática o tradicional que podamos estar tomando.

Esta técnica nos ayudará a tratar diversas dolencias mediante la presión en diversos puntos reflejos de los pies o de las manos. Los puntos de estas zonas se reflejan en ciertas partes de nuestro cuerpo, con lo cual, nuestro organismo está reflejado en diversos puntos de manos y pies, dicho esto, podemos tener muy claro que tratar los puntos en estas zonas es tratar por entero todo nuestro cuerpo.

Si pensamos que en los pies tenemos la oportunidad de sanar o mejorar cualquier patología que nos acucie, sabemos que manipulándolos correctamente, podremos resolver muchos de los problemas que hacen que nuestro día a día sea a veces difícil de llevar por culpa de algunas dolencias.

Como casi todas las terapias alternativas, la Reflexología podal ofrece a los pacientes tiempo para explicar sus dolencias a la vez que hablan sobre ellos, lo que permite al terapeuta tener una perfecta herramienta para una mejor comprensión de su posible problema y más detalles para poder solventarlo con eficacia.

La comunicación entre el terapeuta y el paciente es muy importante, esta comunión facilita que el tratamiento sea más correcto y efectivo, que exista un alto grado de confianza y gran acercamiento, sin que exista apenas la frialdad carácterística entre «terapeuta-paciente», que en muchas ocasiones favorece la «no sanación». La confianza y acercamiento es esencial para que la terápia y el tratamiento resulte agradable y la sesión se nos haga incluso muy corta.

Si unimos finales como sesiones agradables y efectivas, estaremos dando un gran paso para realizar la siguiente sesión que puede llevar al paciente/cliente a la total cura de su dolencia, que es el resultado que ambos deseamos.

Aunque sea conveniente poner un máximo de tiempo para realizar las sesiones de Reflexología Podal, hemos de tener en cuenta que los problemas que acucian al paciente nunca deben ignorarse ya que seguramente estén relacionados con los puntos u órganos que vayamos encontrando en la búsqueda de puntos, y es por esto que nunca deberemos ignorar esto por la falta de tiempo y dedicarle todo el tiempo que sea necesario para poder descubrir de todos los puntos cuales son los mejores a manipular para la dolencia que le

La comunión entre el terapeuta y el paciente facilita la efectividad de la terapia

atañe al paciente, y si es necesario poder manipularlos todos.

El tratamiento consiste en aplicar presión sobre los puntos reflejos en los pies, utilizando los dedos pulgares e índice, e incluso los nudillos en las zonas de gran influencia, aunque ya hoy en día hay muchos utensilios con los que poder trabajar casi todos los puntos o zonas reflejas.

Es aconsejable tener alguna herramienta para tratar algunos de los puntos que se hacen más inaccesibles para los dedos índice o pulgar.

En el apartado de herramientas y útiles para la Reflexología os daré unas indicaciones para poder utilizarlas o si no se da el caso que podáis comprar alguna, os mostraré de una manera fácil cómo podéis construir vuestra herramienta casera.

Cómo se deben manipular los puntos

La presión que aplicaremos una vez encontrado un punto será firme, y dependiendo de la reacción del paciente, la presión se irá incrementando o disminuyendo.

La presión se aplica haciendo círculos en el sentido de las agujas de reloj, cuanto mayor es el dolor, más grande es el desequilibrio del órgano afectado del paciente.

Las manipulaciones de los puntos siempre las haremos observando el estado del paciente y sus reacciones, le pediremos que en todo momento nos haga saber cómo se siente, pero de todos modos no dejaremos de observar expresiones, sudores o estados alterados del mismo, ya que en ocasiones las personas que acuden a una consulta de Reflexología no lo expresan, porque desconocen en qué momento su dolor debe ser dado a conocer, por lo que aguantan el dolor más de lo que sería necesario.

Si denotamos dolor en nuestro paciente, disminuiremos la presión en el punto y pasaremos a otro punto. Dependiendo de su estado podremos incluso dar por acabada la sesión. Se trata de conseguir un equilibrio energético, a la vez que tratamos los órganos afectados por los puntos que vayamos manipulando, nunca incrementaremos el dolor de forma que sea demasiado molesto o inaguantable para el paciente.

La sensación o el dolor que ocasionaremos a la persona a la que le estemos manipulando los pies será siempre distinta en cada

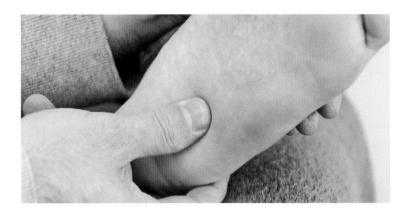

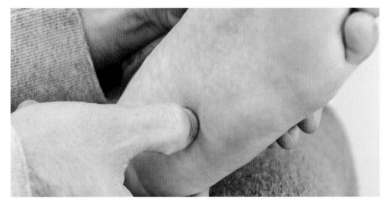

persona. Seguramente nunca encontraremos a dos personas que expliquen las sensaciones que experimentan al manipular los puntos que sean iguales.

La presión se aplica de manera progresiva, es decir, de más a menos, ello nos indicará la mejora del órgano tratado. Una vez hayamos localizado un punto procederemos a manipularlo buscando siempre que el dolor que al principio hayamos provocado en el punto manipulado vaya disminuyendo de forma clara.

Con la Reflexología Podal se podrían diagnosticar muchos desequilibrios de nuestro organismo, pero no es esta una tarea que nosotros debamos realizar, y no os aconsejo que la hagais, ya que, repito, no es esta nuestra tarea y existen profesionales que son los encargados de realizar los diagnósticos de cualquier enfermedad. Debemos dejar el trabajo que corresponda a cada uno y no invadir el territorio ajeno.

La Reflexología es esencialmente una técnica preventiva, no de diagnóstico, lo cual quiere decir que nos ayudará a prevenir las dolencias que están por aparecer y que ya se reflejan en el pie.

Es esta una técnica en la que el paciente y el terapeuta están en contacto, hablando sobre las dolencias de este último, y el terapeuta, a través de estas, busca los puntos de los órganos afectados. La mejora del órgano tratado será evidente cuando, en el punto que estemos manipulando, disminuya el malestar o dolor.

Cuando el paciente acude al terapeuta con una dolencia en concreto, la Reflexología es una técnica que nos va a ayudar a erradicarla, o en su defecto a mejorarla en gran medida. Al reflejarse todo el organismo en los pies, el beneficio de la Reflexología será para todo nuestro organismo, actuando tanto en el estado físico como en el mental, emocional y espiritual.

Con la Reflexología Podal podremos hacer tratamientos de sedación para dolores agudos y también para primeros auxilios. Es en este punto muy efectiva para estados de dolor agudos como dolores dentales, dolores en articulaciones y en el caso de las mujeres dolores menstruales agudos.

Debemos tener en cuenta que lo que estamos tratando únicamente son los dolores agudos, no el problema que causa el dolor, por lo tanto si no se trata de un estado normal, como podría ser la menstruación, o un dolor simple de muelas y ello persiste, derivaremos a la persona a su médico o especialista para su tratamiento.

La técnica de sedación se puede aplicar en casos de dolores agudos para aliviarlos, y en muchos casos hacerlos desaparecer buscando el punto reflejo que corresponde a la zona del dolor agudo con el dedo pulgar o con el nudillo. Se masajeará la zona de manera que el dolor vaya disminuyendo, pero con la precaución de no causar dolor demasiado intenso en la zona del pie que estamos tratando.

La técnica de sedación está indicada sobre todo para casos de:

▶ Dolores dentales agudos.
▶ Dolor de oídos.
▶ Dolores nerviosos.
▶ Dolores reumáticos, sobre todo de la espalda.
▶ Espasmos dolorosos.
▶ Cólicos.
▶ Dolores de ciática.
▶ Dolores menstruales (es muy efectivo).

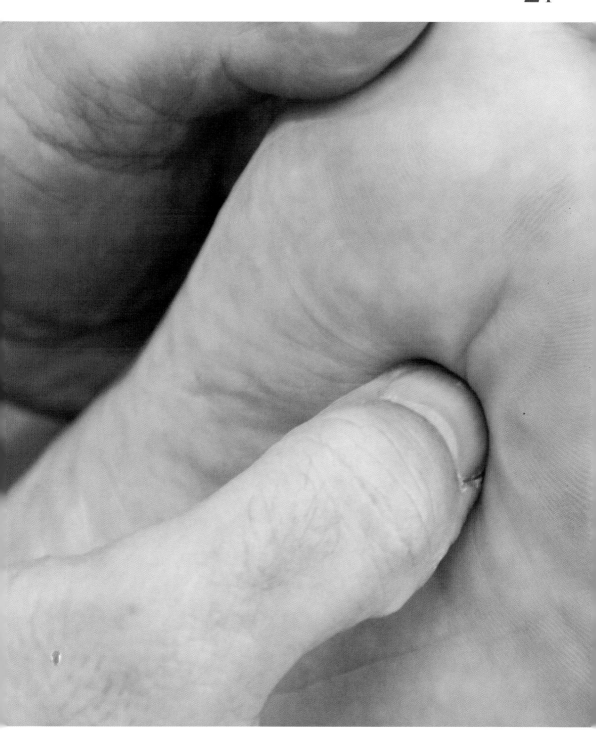

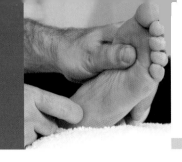

Beneficios
de la Reflexología

Los beneficios de la Reflexología se pueden hacer extensivos a todo nuestro cuerpo, ya que mejora nuestro estado de ánimo, nuestra mente y naturalmente nuestro estado físico con unas sencillas manipulaciones y dedicándole relativamente muy poco tiempo.

La Reflexología Podal es una técnica que, como la acupuntura, no solo actúa durante las sesiones, sino que su efecto se prolonga durante varios días después de la sesión. Es fácil que los pacientes puedan notar como los puntos tratados en las sesiones se activan durante días después de una sesión, al caminar, incluso estando en reposo. Esto nos indica que el punto o puntos manipulados están activos y trabajando para equilibrar su estado, tanto físico como energético.

Estamos hablando de que la Reflexología es una técnica sin apenas contraindicaciones y que con ella nos ayudamos a mejorar nuestro estado físico y emocional, al mismo tiempo que conseguiremos relajar uno de los motores de nuestro cuerpo, los pies. Con unos pies descansados y equilibrados mejora nuestra calidad de vida.

Con unos pies descansados y equilibrados mejora nuestra calidad de vida

Con la Reflexología Podal, se estimulan las defensas del organismo y se favorece la eliminación de residuos y toxinas. Con esta técnica vamos a favorecer y estimular las defensas del cuerpo, potenciando así los mecanismos de auto-curación tanto en el cuerpo físico como en el mental, normalizando así las funciones corporales en las que podamos tener algún trastorno.

La Reflexología Podal es una terapia que se puede aplicar a todas las franjas de edades y a casi todo el mundo, salvo en las excepciones que veremos más adelante, siendo en los niños y en los ancianos donde suele funcionar más y mejor.

A pesar de no haber análisis clínicos que demuestren su efectividad, la práctica diaria de esta técnica y los resultados nos demuestra su eficacia. Cuando Practiquéis con asiduidad esta técnica comprobareis su bondad a la hora de apaciguar dolores intensos en diferentes patologías, eliminar toxinas que nos servirán para estar más sanos a la vez que curamos diferentes dolencias que nos acucian en nuestro día a día y hacen que nuestra calidad de vida se deteriore notablemente.

Posibles contraindicaciones

No hay ningún medio de curación que esté indicado a toda la población y para todos los problemas físicos, a veces según qué método utilicemos puede ser contraindicado e incluso negativo. Esta norma se aplica también en la Reflexología Podal, pero si está siendo realizada por un buen profesional, bien formado, en muy pocos casos habrá contraindicaciones. Estas son algunas de las contraindicaciones con las que nos podemos encontrar:

▶ **Enfermedades agudas o crónicas.**
En estas enfermedades será desaconsejable si el terapeuta no tiene un conocimiento profundo del diagnóstico. En todo caso podremos aplicar unos masajes relajantes pasando tan solo por encima de los puntos más importantes que estén afectados por la enfermedad del paciente, le podrá ayudar a relajarse, proporcionándole un estado de bienestar, cosa que le hará más llevadera su dolencia.

▶ **En el proceso de la digestión;**
las sesiones son aconsejables como mínimo 2 horas después de la ingestión ya que podremos actuar sobre las zonas del estómago y del aparato digestivo.

En este caso como ya os comento más adelante es aconsejable que el terapeuta tenga bien claro el horario de las comidas del paciente para no interrumpir el proceso de la digestión, por lo que es siempre aconsejable tener bien claro este proceso.

▶ **Durante la menstruación.**
A menos que se trate de los dolores agudos de la regla (en los que son muy efectivos). Durante los estados de la menstruación no es aconsejable manipular los puntos que afectan a estos órganos, tan solo manipularemos los puntos de los órganos genitales en la mujer en los casos de los dolores menstruales muy intensos. Mi experiencia me ha demostrado que con esta terapia, los dolores intensos se apaciguan en un alto grado e incluso pueden llegar a desaparecer por completo.

▶ **En las mujeres embarazadas.**
Sobre todo en caso de abortos involuntarios o prematuros. No es aconsejable hacer sesiones de Reflexología Podal en el caso de mujeres embarazadas y sobre todo en mujeres embarazadas con propensión a tener abortos involuntarios, ya que podremos

ocasionar molestias y problemas que en todo caso nunca serían nuestra intención.

▶ **En estado febril o dolores fuertes y espasmos.** En estos casos solo la aplicaremos en caso de primeros auxilios o para aliviar dolores agudos.

▶ **En casos de infecciones cutáneas.** No es aconsejable la manipulación de puntos en estos casos ni para el paciente ni para el terapeuta. Cuando el paciente presenta infecciones cutáneas, lo mejor es derivarlo a su médico para tratar este tipo de dolencias, ya que con la manipulación de los pies es posible que provocáramos la extensión de la infección e incluso el contagio al terapeuta en algunas de sus variantes.

▶ **En el caso de varices y edemas.** Es aconsejable evitar el tratamiento en las zonas de varices y edemas en las zonas a tratar, se podría dar el caso de que un punto a tratar estuviera justo debajo de una variz o edema, sobre todo en la zona lateral del pie, en este caso nunca manipularemos estas zonas ya que podríamos provocar roturas de las venas o derrames vasculares. Las varices son la enfermedad más frecuente de las venas, y las más peligrosas son las llamadas «arañas» vasculares que afectan a menudo a las personas de edad avanzada. Esta dolencia es más común en las mujeres, aunque la experiencia me ha demostrado que cada vez más se acusa en muchos hombres dado el ritmo de vida que llevamos.

▶ **En casos de cicatrices.** Las cicatrices por cirugía, aunque se vea claramente que están curadas pueden llevarnos a un error a la hora de manipular los puntos, tanto la piel como el tejido inferior se encuentran, en ocasiones, en un lugar distinto al de un pie sano. Otro motivo por el cual no se debe manipular o tratar el pie, es porque aunque pueda parecer insensible la zona, también puede agudizar un dolor que poco tiene que ver con el que realmente provoca la terapia. De todas formas, se puede tratar un pie en el que se encuentre alguna cicatriz, siempre que no se manipule en la misma zona.

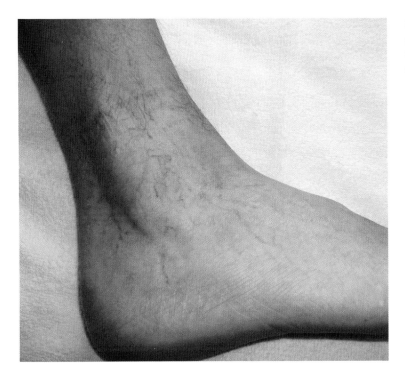

En esta imagen podéis observar un ejemplo claro de una «araña» vascular, situada en la zona lateral del pie.

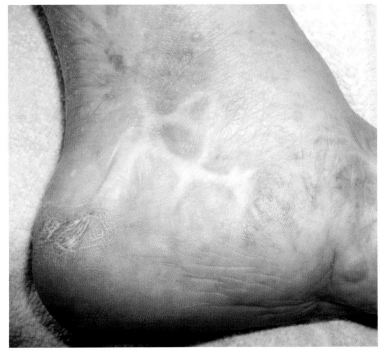

Aquí se muestra un ejemplo de un pie con una cicatriz, en la cual bajo ningún concepto se debe tratar con Reflexología.

Antes de empezar el tratamiento

Cuidado
de las manos

Las manos son la herramienta básica para la práctica de la Reflexología Podal, es por ello que debemos mantener una extrema higiene en todas sus partes así como en los dedos y las uñas. Hemos de tener la precaución de tener siempre las manos libres de duricias y callosidades, pues eso haría que el efecto en la manipulación de los pies del paciente fuese desagradable al tacto en el pie, aparte de que estéticamente las manos de la persona que está manipulando los pies deben tener buen aspecto.

En lo que respecta al cuidado de las uñas, deberemos prestar atención en tenerlas siempre bien cortas y sin rugosidades, sobre todo en los dedos pulgar e índice ya que son los dedos utilizados para la exploración y manipulación de los puntos. Es básico que, en este caso, las uñas las tengamos cortas, bien cortadas y bien limadas para que no queden restos de uñas que nos vayan a dar puntos falsos al causar dolor en

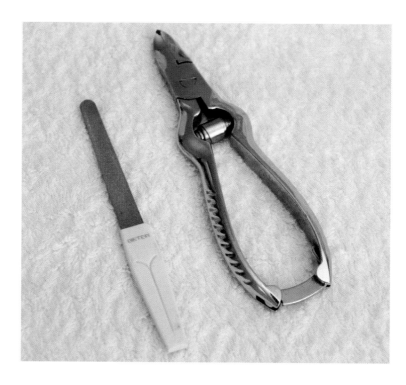

el pie por culpa de unas uñas mal cuidadas.

La técnica para cortar las uñas y su limado posterior debe ser exhaustiva tanto en el corte como en el limado, es probable que las personas acostumbradas a llevar las uñas largas les resulte molesto cortarlas de esta forma, pero veréis como al poco tiempo de llevarlas así os acostumbrareis rápidamente.

En el video adjunto os muestro la mejor forma de cortar las uñas y su cuidado de una forma correcta para poder practicar la Reflexología Podal sin causar daños al paciente.

Al ser las manos las herramientas que más utilizamos en todos los aspectos de nuestra vida, es aconsejable que las mantengáis limpias e hidratadas si queremos practicar la Reflexología Podal aunque sea en el entorno familiar.

Seguramente y gracias a este libro vais a utilizar todos los conocimientos que adquiráis para haceros auto-tratamientos o incluso tratamientos a personas de vuestro entorno, con lo que combinaréis terapia con vuestro trabajo habitual y posiblemente el cuidado de las manos no os sea fácil. Como adelantaba anteriormente, una buena manera de tener siempre las manos limpias y bien tratadas es teniéndolas bien hidratadas,

una buena práctica es tomar la costumbre de hidratarlas siempre antes de ir a dormir, tener un buen cuidado de uñas y cutículas, este cuidado hará que nuestras manos estén siempre a punto para esta práctica.

En las siguientes imágenes os muestro la forma de corte de los dedos pulgar e índice. Deben quedar muy cortas y sobresalir la almohadilla frontal que está debajo de las uñas.

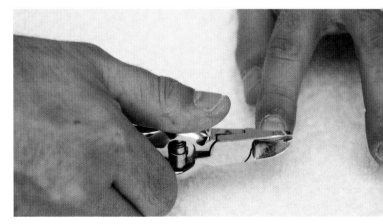

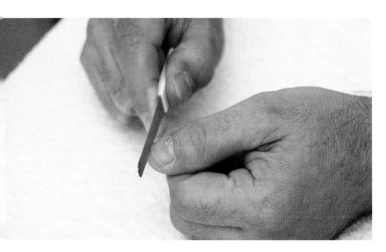

El limado es importante, del mismo modo que el corte, para que nos queden unas uñas uniformes y lisas, perfectamente preparadas para iniciar una sesión.

Existen dos movimientos para que tengamos el mejor resultado:

El primero, como podéis ver en la primera imagen, es un limado del dedo pulgar que recorre en sentido de la uña toda su forma. De esta manera, la uña quedará totalmente uniforme. Lo mismo haremos con el dedo índice.

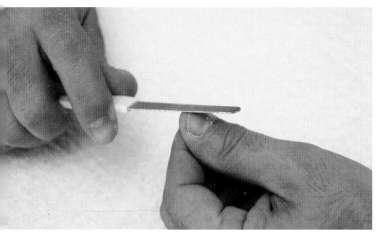

En la segunda y tercera imagen observamos el segundo movimiento o forma de limado, esta en sentido diagonal.

El limado en forma diagonal consigue que la uña pierda grosor en la punta y podríamos decir que hacemos que se integre con la yema del dedo, por la parte superior.

Después de el corte y limado de las uñas es necesaria una buena higiene con jabón y agua caliente para que no queden restos de uñas ni piel en las manos y posteriormente a un buen secado, procederemos a hidratarlas.

Ahora y después de este cuidado de manos, tenemos preparada la mejor herramienta para empezar con nuestra terapia.

Objetos útiles para la terapia

La Reflexoterapia Podal ha experimentado un auge espectacular en los últimos años, aunque la industria de los útiles para practicarla no haya seguido los mismos pasos, tenemos hoy en día algunos utensilios para ayudarnos a la manipulación de los puntos muy útiles, aunque la mayoría son de las técnicas de la Medicina Tradicional China. Es obvio que no hay ningún utensilio que pueda sustituir la mano de un terapeuta en la búsqueda y tratamiento de los puntos de Reflexología, tan solo imitar mecánicamente los movimientos de un pulgar para la exploración requeriría una costosa tecnología, aunque nos podemos aprovechar de los que actualmente existen, o en su defecto fabricarnos algunos de manera casera que nos va a resultar muy efectivos y prácticos.

Por mi experiencia, es aconsejable que la búsqueda de los puntos reflejos los hagamos siempre con el dedo pulgar o el índice, si el pulgar nos resulta muy grande para su

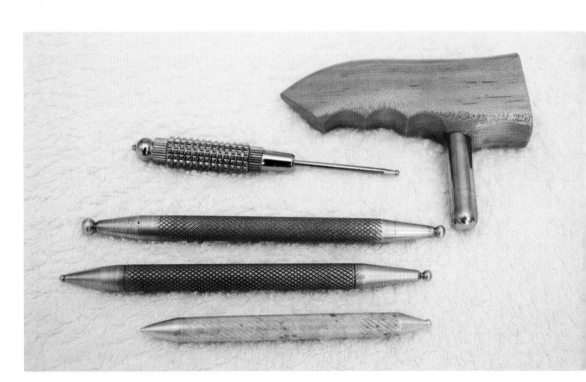

manipulación, aunque podremos adaptar diferentes objetos, ya que a veces las zonas a manipular son tan pequeñas que ni el dedo índice nos facilita la labor.

Es muy útil siempre poderse ayudar de las herramientas de las que dispongamos, ya que siempre nos facilitarán la manipulación de los puntos de forma más localizada.

Busca puntos grande MTC

Es una herramienta de las que disponemos en el mercado, con ella podemos tratar puntos de forma general y amplia en una gran zona, ya que como podéis observar por su tamaño, no es un útil que pueda manipular de forma precisa un punto ni una zona difícil o pequeña como pueden ser los dedos de los pies.

Busca puntos retráctil MTC

Este otro utensilio es, como el anterior, aportación de la Medicina Tradicional China, nos facilita el acceso a puntos en zonas de difícil manipulación. Es una herramienta precisa, pequeña y retráctil, muy práctica.

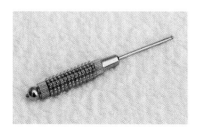

Herramientas de fabricación propia

Estos tres ejemplos de herramientas son de fabricación propia por lo que no se encuentran en el mercado aunque podéis hacerlas fabricar. Son útiles fabricados con materiales nobles ya que son los materiales más puros y los mejores conductores energéticos. Las puntas pueden ser de diferente

tamaño para que se puedan manipular todo tipo de puntos y en todas las zonas del pie.

Herramientas caseras

Podemos obtener unos muy buenos resultados con un útil tan sencillo como es un lápiz con goma en la punta. Podemos adecuarlos a nuestras necesidades, redondear la punta y afinarla tanto como deseemos para manipular los puntos. Si somos un poco creativos, encontraremos multitud de objetos que podemos adaptar a la

Reflexología Podal. En el vídeo os muestro la forma de fabricación de estos sencillos utensilios, veréis que no resulta nada complicado y sí muy práctico.

Cuidado del entorno

Tendremos mucho cuidado en el entorno donde vayamos a practicar las sesiones de Reflexología Podal. Deberemos procurar que el ambiente sea agradable y relajante, para ello podemos colocar una luz tenue en la sala donde se vaya a hacer el tratamiento, salvo en la zona donde se ubique el terapeuta ya que necesitaremos una lámpara con luz directa para una correcta visión. Una música agradable y relajante nos ayudará a que el paciente esté asimismo relajado y dispuesto a contestar a nuestras preguntas, a hablar tranquilamente y a su vez dispuesto a las manipulaciones de la terapia en sí.

Si vamos a practicar las sesiones en casa, buscaremos una habitación que resulte tranquila, como he dicho anteriormente buscaremos una luz suave, que bien puede ser ambientada por velas o por alguna lámpara la luz de la cual sea regulable y la posicionaremos en la menor intensidad. Debemos tener en cuenta que una luz muy intensa o muy estridente no nos va a ayudar a relajarnos ni a nosotros ni a la persona a la que vayamos a practicar la sesión. Tendremos la precaución de tener la suficiente luz para que podamos trabajar con comodidad. También tendremos

en cuenta que la temperatura sea idónea, más para el paciente que para nosotros, pensemos que el paciente estará tumbado parcialmente y estático, con uno de los pies o ambos, según sea el caso, al descubierto lo cual puede provocar además de que los pies se enfríen y que eso no nos ayude a una buena práctica, que no tengamos la misma sensación de temperatura y ello le incomode y no llegue a relajarse. Aún así, una vez comenzada la terapia, le preguntaremos sobre su estado y regularemos de nuevo la temperatura.

Dispondremos en la habitación de una música relajante a un volumen que permita el diálogo entre el terapeuta y el paciente, podéis si queréis poner unas velas aromáticas o unas varitas de sándalo para tener un ambiente más relajante aún, cosa que hará de esta sesión algo mucho más placentero y agradable.

Las sesiones de Reflexología Podal las podemos practicar tanto en casa como en la consulta de un terapeuta. En este libro os estoy enseñando esta técnica para que podáis practicarla entre vosotros mismos o con vuestros allegados, sin ser de forma profesional, ya que si es este el caso, todo lo que os explico ahora seguro que ya lo habréis aprendido en la academia o centro donde os habréis formado.

A excepción del auto-tratamiento que lo podréis practicar en cualquier zona de la casa, siempre que sea un lugar tranquilo y en el que estéis solos y cómodos, lo mejor que podéis hacer es dedicar una zona de la casa a la Reflexología Podal, en la que tengáis todo el material necesario como este libro y otros que os sirvan de ayuda, el vídeo que acompaña al libro, aceites, cremas, toallas y herramientas que necesitéis para esta práctica, todo ello a mano.

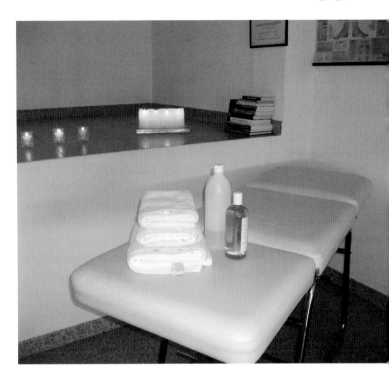

Las manipulaciones las podéis hacer con el paciente estirado en un sofá y el terapeuta a sus pies, sentado en un sillón y con el terapeuta sentado en una silla a ser posible baja para tener sus pies a la altura de nuestras piernas sin que ello provoque malestar o una posición incómoda del paciente. Aunque, y después de muchas posibles soluciones, la mejor manera para realizar la sesión sería disponer de una camilla.

En todo caso debéis buscar la comodidad tanto en la persona que se va a someter al tratamiento como la comodidad del terapeuta y ello contribuirá a una mejor sesión.

Observando
al paciente

Cuando vayamos a empezar un tratamiento deberemos tener en cuenta siempre y antes de empezar la higiene tanto del terapeuta como del paciente, así pues el terapeuta debe tener las manos perfectamente limpias, las uñas cortas y bien limadas, ya que si no fuera así, podríamos hacer daño al paciente a la hora de manipular el pie, dando así la posibilidad de falsos puntos que no nos dejarían tratar la dolencia o en su defecto dando otros que no serian los que tenemos que manipular.

En el caso del paciente, este deberá cuidar de una especial la higiene en los pies, procurando tener mayor dedicación en el lavado, sobre todo las zonas entre los dedos y tener las uñas asimismo cortas.

Es aconsejable que la persona que se vaya a someter al tratamiento de Reflexología vaya a la sesión descansada, es decir: no es aconsejable someterse a una sesión sin dormir, también es aconsejable respetar los horarios de comidas y esperar al menos dos horas después de estas para someterse a una sesión. Hemos de tener en cuenta que durante la búsqueda de puntos y su posterior manipulación, es posible que

pasemos por encima o incluso nos dé un positivo el punto del estomago o el sistema digestivo, con lo cual podríamos provocar reacciones no deseadas como diarreas o cortes de digestión.

Las duricias o callos son un problema para el terapeuta ya que son zonas que no nos dejarán explorar y tratar la zona plantar del pie, ya que son zonas en las que los puntos de Reflexología o no se detectan, o dan falsos positivos.

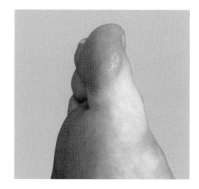

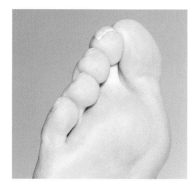

Observaremos en primer lugar al paciente en su estado general, es decir, tendremos en cuenta su forma de andar, si suda en exceso, el color de la piel y procuraremos estar atentos a su olor, todo esto nos indicará su estado anímico y físico. Todos estos datos nos pueden dar pistas de sus posibles órganos afectados cuando empecemos las preguntas sobre cuál es el motivo que lo trae a nosotros.

Seguiremos la observación hacia el paciente, prestaremos atención al calzado que lleva, ya que un calzado inadecuado puede provocar muchos problemas a la hora de determinar los puntos afectados en esas áreas reflejas. Desde el punto de vista de la Reflexoterapia Podal, se puede decir que la curación empieza con un calzado adecuado. Las modas actuales, en lo que respecta al calzado, cada día son más nocivas para nuestros pies, zapatos muy cerrados en los hombres o tacones muy altos en las mujeres son nefastos para la salud de nuestro tan importante motor para andar. Por lo tanto es importante observar los siguientes detalles:

▸ Calzado demasiado ancho.
▸ Calzado demasiado estrecho.
▸ Tacones con altura excesiva.
▸ Suelas demasiado blandas o rígidas.

▸ Uso abusivo de las zapatillas deportivas.
▸ Uso de número inadecuado (mayor o menor al que corresponda). etc.

Además de la observación de la forma de andar, de los horarios de ingesta, de los detalles que nos aporte el pie y el propio paciente y del tipo de calzado que utilice, etc., debemos observar también el tipo de pie y sus características para poder realizar mejor la terapia, de forma que sea efectiva y eficaz.

La mayor parte de las alteraciones de los pies las podremos observar tan solo observando las huellas de los pies cuando nos colocamos en posición erecta. Como podréis observar en las huellas, a excepción del pie sano, las áreas de carga del pie en el suelo son diferentes, lo que tendremos que tener en cuenta a la hora de la exploración de búsqueda de los puntos, ya que el área de influencia de estos nos puede variar al haber mayor contacto del pie en el suelo.

Pie valgo

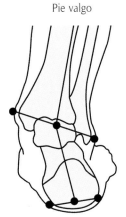

Pie varo

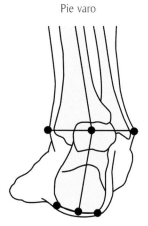

Pie recto (normal)

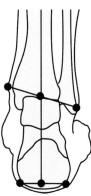

Observando la morfología del pie, podemos saber cuales son las zonas de mayor carga del mismo, estas alteraciones las deberemos tener en cuenta a la hora de buscar y manipular los puntos tanto en la zona plantar como en las zonas externas e internas ya que estas nos pueden varias las zonas de los puntos y sus áreas de influencia.

Pie sano

Pie plano

Pie valgo

Pie cavo

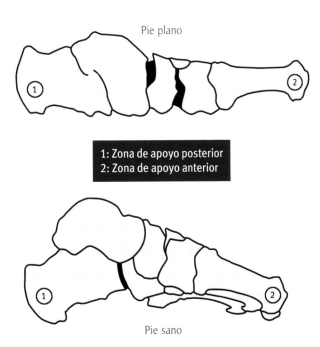

Pie plano

1: Zona de apoyo posterior
2: Zona de apoyo anterior

Pie sano

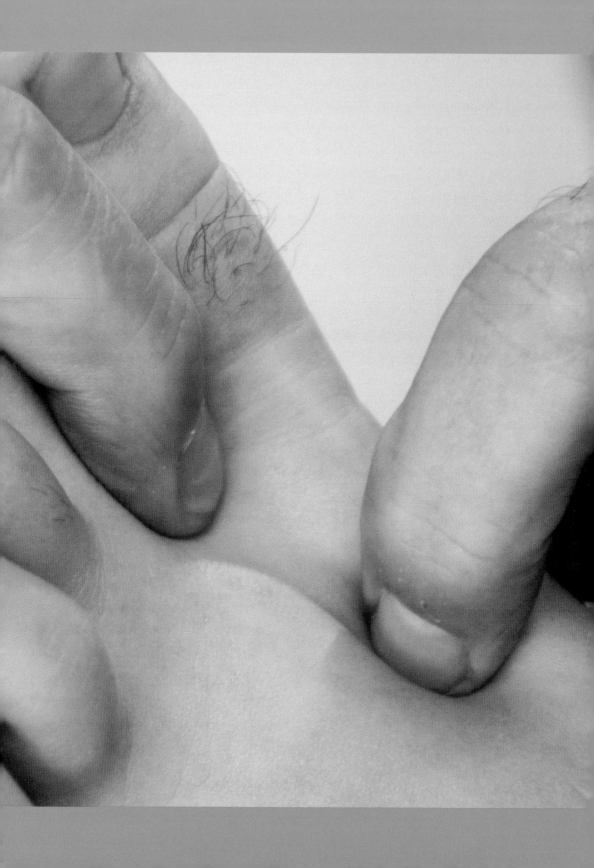

Técnica y teoría de la Reflexología Podal

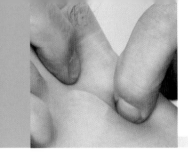

Proyección de los órganos en el pie

Cada hueso, músculo, órgano o sistema puede tratarse a través del masaje reflexológico y, tener un efecto directo en el cuerpo.

La Reflexología Podal parte de la idea de que los pies representan una imagen esquemática de todo nuestro cuerpo y sus órganos, correspondiendo a sus diversas partes o zonas muy determinadas de los pies.

Nuestro cuerpo está dividido en 10 zonas verticales y 4 zonas horizontales encontrando en ellas también los pies (según se muestra en la imagen de la derecha). Estas dividen el pie de forma longitudinal, transversal y esquemático del pie y del cuerpo, en el cual situaremos las partes del organismo y los órganos según su correspondencia real.

Las 10 zonas de nuestro cuerpo nacen de la idea del médico americano Dr. Wiliam Fitgerald (1872-1942).

Las zonas verticales dividen el cuerpo desde la cabeza a los pies y desde los hombros a las manos, y están separados por 10 zonas iguales de orientación vertical. En los Hombros y en la parte inferior del cuerpo estas zonas se reparten de forma que cada brazo y cada pierna tiene 5, estos pasan a través de los órganos y tejidos.

Se podría comparar estas zonas longitudinales con los meridianos de la acupuntura o Medicina Tradicional China, aunque no coincidan exactamente.

En la lámina de la derecha están reflejadas las 10 zonas longitudinales de Fitgerald, en ellas podréis observar que se reflejan 5 zonas en cada pie, salen de cada dedo y se enumeran de dentro hacia fuera, es decir, empiezan por el dedo gordo del pie y así hasta el dedo meñique. Su circulación se proyecta por la planta del pie, subiendo por las piernas, atraviesan todo el cuerpo y terminan en la bóveda craneal, donde se unen con las que suben desde los dedos de las manos con el mismo orden que las de los pies.

De esta manera resulta lógico que los órganos situados a la derecha de nuestro cuerpo (hígado, vesícula biliar, colon ascendente, etc.), se proyectan en el pie derecho, mientras que los órganos situados en la parte izquierda de nuestro cuerpo (bazo, corazón, colon descendente, etc.) se proyectan en el pie izquierdo.

En el caso de lo órganos dobles y los situados en la línea media o los cruzados por ellas de nuestro cuerpo se reflejarán por igual en los dos pies (columna vertebral, ano, esófago, estómago, colon transverso, etc.).

De esta manera queda muy claro que la mitad derecha de nuestro cuerpo se refleja en el pie derecho y la mitad izquierda se refleja en el pie izquierdo.

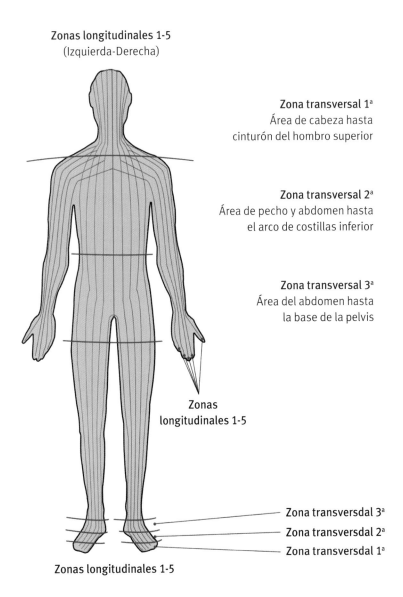

Zonas longitudinales 1-5
(Izquierda-Derecha)

Zona transversal 1ª
Área de cabeza hasta
cinturón del hombro superior

Zona transversal 2ª
Área de pecho y abdomen hasta
el arco de costillas inferior

Zona transversal 3ª
Área del abdomen hasta
la base de la pelvis

**Zonas
longitudinales 1-5**

Zona transversdal 3ª
Zona transversdal 2ª
Zona transversdal 1ª

Zonas longitudinales 1-5

Zonas transversales de los pies. Visión plantar y dorsal

Zonas transversales (visión plantar)

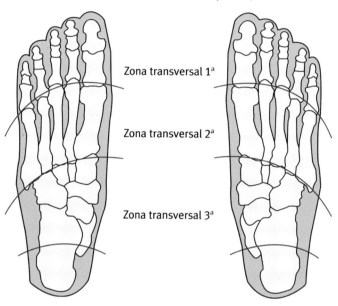

Zona transversal 1ª

Zona transversal 2ª

Zona transversal 3ª

Zonas transversales (visión dorsal)

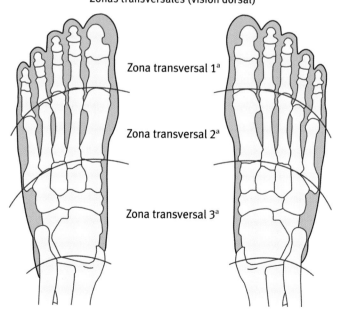

Zona transversal 1ª

Zona transversal 2ª

Zona transversal 3ª

Zonas transversales de los pies. Visión interna y externa

Zonas transversales (visión interna)

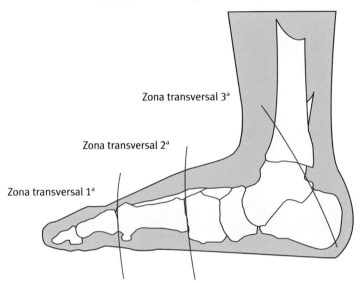

Zona transversal 3ª

Zona transversal 2ª

Zona transversal 1ª

Zonas transversales (visión externa)

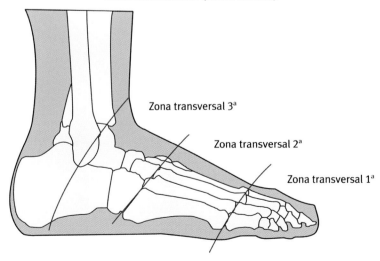

Zona transversal 3ª

Zona transversal 2ª

Zona transversal 1ª

Existe correspondencia entre todas las articulaciones entre sí, es decir:

▶ Un problema en el pie, se puede solucionar con el masaje en la zona refleja correspondiente, que es la zona de la mano.

▶ Un problema en el tobillo, se puede solucionar con el masaje en la zona refleja correspondiente, que es la zona de la muñeca.

▶ Un problema en la pierna, se puede solucionar con el masaje en la zona refleja correspondiente, que es la zona del antebrazo.

▶ Un problema en la rodilla, se puede solucionar con el masaje en la zona refleja correspondiente, que es la zona del codo.

▶ Un problema en el muslo, se puede solucionar con el masaje en la zona refleja correspondiente, que es la zona del brazo.

▶ Un problema en el fémur, se puede solucionar con el masaje en la zona refleja correspondiente, que es la zona del hombro.

▶ Un problema en el sacro, se puede solucionar con el masaje en la zona refleja correspondiente, que es la zona de los omóplatos.

Trabajar los puntos reflejos de una zona resulta muy útil, cuando la zona afectada es muy sensible o acusa un dolor muy intenso, ya sea por un golpe, una contusión, un traumatismo, etc.

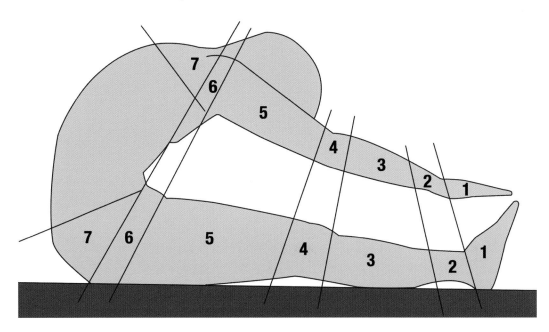

Mapa de las zonas reflejas

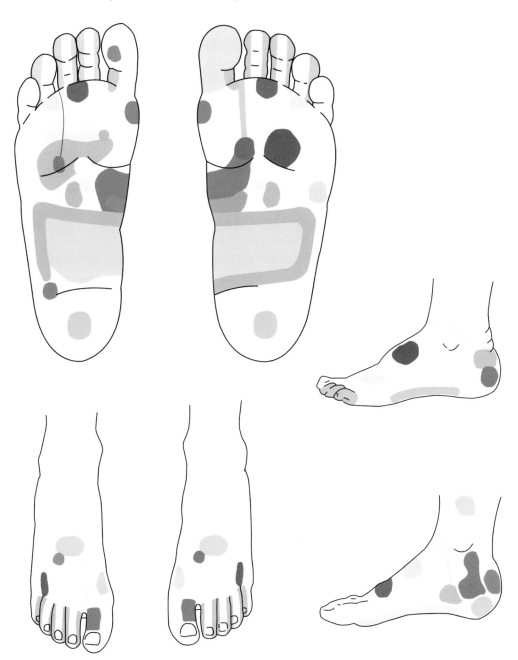

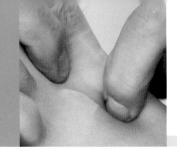

Posibles reacciones del paciente

La Reflexología Podal no tiene el mismo efecto que un medicamento de la medicina alopática que quizá puede suprimir los síntomas pero no ataja la raíz del problema, sino que ayuda a recuperarse de dolencias estimulando nuestro sistema inmunológico y nuestro equilibrio energético.

La base de esta técnica es solucionar cualquier patología desde su origen observando siempre las luces de alarma que aparecen en nuestro organismo a través de los puntos que nos aparecen cuando hacemos la búsqueda en los pies. La Reflexología Podal proporciona a nuestro organismo las herramientas para superar enfermedades y desequilibrios a través de sus propias defensas, normalizando el cuerpo físico y el energético que hayan podido influir en la enfermedad.

Tal y como pasa en el resto de las Terapias Naturales, también en la Reflexología Podal nos podemos encontrar con el llamado "Empeoramiento Primario", es decir, que después del tratamiento en lugar de mejorar nos vamos a encontrar peor, pero en todo caso los efectos son temporales y estos a su vez nos indicarán que nuestro organismo está empezando a luchar y reequilibrarse con sus propios recursos. Si se nos da este caso nunca debemos asustarnos o dejar la práctica de las sesiones, ya que veréis que tal como van avanzando las mismas, la mejora será cada día mas ostensible.

Se puede dar también esta situación de «Empeoramiento Primario» cuando tratamos enfermedades crónicas, ya que el proceso patológico contra el que nuestras defensas están ahora luchando, se están auto-regulando, cosa que anteriormente no podían hacer porque se veían impotentes.

Pueden surgir reacciones durante y después de las sesiones de la Reflexología Podal y esto nos va a dar unas pistas muy importantes para desarrollar las sucesivas sesiones. Recordaremos preguntar en una segunda visita si han habido cambios y de qué tipo, para seguir la pista al tratamiento.

Las reacciones más corrientes y claras durante las sesiones de Reflexología son los dolores que se producen al encontrar y tratar los puntos afectados. Normalmente el masaje en los pies no produce dolor, únicamente este aparece cuando tratamos un punto que está siempre ligado a una patología y en el que el paciente notará el dolor, que en todo caso, siempre es diferente en cada persona. Estos dolores nos están dando una señal clara e inequívoca de que el punto que hemos localizado y estamos tratando es el correcto y debemos seguir con su manipulación.

Como ya os he comentado en otra ocasión, a la hora de manipular un punto **NUNCA, NUNCA** es aconsejable llevar al paciente a estadios de dolor que sean insoportables o inaguantables, no os dejéis llevar por lo que otras personas os puedan decir sobre que cuanto más duele más cura, en todo caso esta afirmación no es nunca correcta. Llevar al paciente a estadios de dolor extremos os puede dar más de un susto y no os lo aconsejo bajo ningún concepto.

El terapeuta solamente depende de la observación del paciente y de la conversación que mantiene con él para ver las reacciones de este y nunca se deben silenciar para su mejor observación. Estos pueden manifestarse con pequeños suspiros, retirada del pie, cambios en la cara como una pequeña sonrisa o una mueca. Esto nos va a dar una señal clara e inequívoca de que tenemos que tratar este punto en las sucesivas sesiones.

Lo más normal es que la sesión de Reflexología Podal sea bien tolerada por el paciente ya que se trata de un método de recuperación natural de nuestro organismo, el cual aprovecha sus propios recursos para sanarse. Pueden darse reacciones no deseadas, que pueden hacer incuso necesario el abandono de la sesión.

Nos podemos encontrar con unos efectos secundarios inofensivos que se relacionan con una estimulación general desmesurada que pueden llevar incluso al paciente hasta un grado de euforia, el cual puede darse incluso unas horas después de acabada la sesión o tratamiento, sin embargo el efecto no es duradero y queda limitado. En personas especialmente sensibles se pueden dar estos efectos que posiblemente tengan su explicación en el efecto del masaje sobre el sistema nervioso.

No es necesario adoptar medidas especiales en contra de estas reacciones, si se da el caso de una persona extremadamente sensible con estos síntomas, únicamente tendremos la precaución de no hacer las sesiones pocas horas antes que el paciente se vaya a dormir para evitar que la excitación no permita un buen descanso. Este problema que quizá no se observase en un primer momento y por lo que quizá el paciente no ha venido a la consulta, quedará al descubierto cuando nos sea mencionado y lo trataremos en una próxima sesión, ya que en la primera no se habrá hecho aún patente.

Se puede dar también el aumento de la secreción de sudor, no es una reacción negativa, al contrario, esto nos indica que nuestro organismo está reaccionando positivamente con la eliminación de toxinas, que nos ayudará al éxito del tratamiento.

Tenemos que tener en cuenta que hay personas cuyo grado de dolor es muy alto y no notaremos las mismas reacciones que en otros con una respuesta al dolor normal, si se diera este caso, tendremos que estar muy atentos a los mensajes que observemos, sus gestos, su aspecto, etc., y si es necesario dar por concluida la sesión ya que, insisto, estas reacciones no son nunca aconsejables.

A parte de las reacciones de dolor en los puntos reflejos, la Reflexología Podal produce otras reacciones o efectos secundarios que se pueden dar durante o después de las sesiones. A continuación relaciono las más comunes, es importante que no os asustéis ya que son reacciones naturales como respuesta de nuestro organismo.

Efectos secundarios:

▸ **Sudoración masiva durante el tratamiento;** normalmente en manos y pies u otras áreas del cuerpo, normalmente se dan en personas debilitadas y con trastornos en el sistema nervioso.

▸ **Un frio intenso;** normalmente empieza en los miembros inferiores y puede llegar incluso hasta el tórax, se produce normalmente por una presión demasiado intensa en los puntos reflejos y a causa de ello se llega a una falta de circulación sanguínea e hiperreacción del sistema nervioso.

▸ **Orina y heces con un color intenso y fuerte olor;** esta reacción se suele dar después de las sesiones, normalmente al día siguiente. Suele ser una reacción bastante frecuente y lo que nos indica es que nuestro organismo se está auto-regulando con la expulsión de toxinas.

▸ **Espasmos musculares;** estos efectos secundarios aparecen en pocas ocasiones en zonas determinadas del cuerpo, o en el cuerpo entero.

Inicio del tratamiento

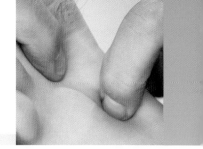

Empezaremos con una exploración visual del pie para poder determinar posibles impedimentos o problemas para una buena realización de la sesión, observaremos si el paciente tiene duricias, callos o alguna malformación que nos pueda dar problemas a la hora de buscar los puntos reflejos en las áreas afectadas. Es aconsejable si detectamos problemas de duricias o callosidades que el paciente no haya descubierto, aconsejarle que acuda a un podólogo para tener una correcta higiene del pie. Aprovecho para comentaros que si somos propensos a estos problemas, sería aconsejable visitar a estos profesionales al menos una vez al año para así mantener el pie en un buen estado.

En el caso de infección por hongos, no es posible el tratamiento en las zonas reflejas y tendremos que abandonar la terapia. Tendremos especial cuidado siempre en no manipular sobre las zonas en que detectemos hinchazones, rojeces o varices, especialmente las que son en forma de «araña», que ya conocemos.

Una vez hayamos hecho el reconocimiento y estemos preparados para iniciar la sesión, procederemos a ella de la siguiente forma:

Limpieza

Empezaremos limpiando el pie con alcohol para la mejor manipulación del mismo, al mismo tiempo que desinfectamos toda la zona, la limpiaremos de posibles restos que puedan quedar de los calcetines, calzado, etc. Esta acción nos dejará todo el pie sin restos de sudor u otras secreciones para que, a la hora de buscar y manipular los puntos no nos resbalen los dedos. Aprovecharemos ya desde este momento para hacer una inspección visual y completa del pie.

Estiramientos y masaje inicial

El primer paso a dar al paciente será un desbloqueo del pie, haciendo unos sencillos movimientos para relajarlos.

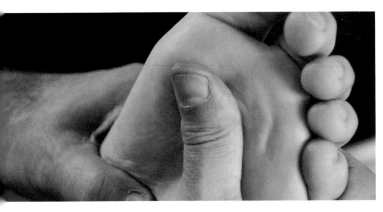

Empezaremos con unos movimientos rotativos del dedo gordo del pie a la vez que hacemos movimientos hacia arriba.

Después haremos unos estiramientos en el resto de los dedos cogiéndolos todos con nuestros dedos de la mano haciendo pinza y estirando hacia afuera para conseguir una relajación total de estos. Después pasaremos a hacer un masaje descontracturante en el resto del pie, seguido de unos estiramientos con rotaciones, a la vez que ya haremos una primera inspección visual del mismo.

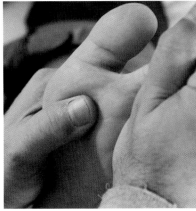

Manipulación de los pies

La búsqueda y manipulación de los puntos reflejos en los pies los haremos con ambas manos y en los dos pies, siempre buscando la comodidad tanto del paciente como la del terapeuta.

Con una mano haremos las manipulaciones y con la otra nos ayudaremos para aguantar el pie y manejarlo como creamos conveniente. Si tratamos el pie izquierdo del paciente nos ayudaremos con la mano izquierda, y manipularemos con la mano derecha.

El orden del pie en el que empecemos la búsqueda de puntos es indiferente, a menos que el desorden que busquemos corresponda a un órgano que solo se encuentre en un pie determinado.

Cada pie refleja los órganos correspondientes a la parte del cuerpo en la que están, excepto aquellos que ocupan gran parte del torso o están en el centro, en este caso se reflejan en ambos pies. (Al final de este capítulo esncontraréis el mapa de los pies, mapa detallado donde se reflejan los órganos en puntos determinados.)

Los órganos que tenemos en la parte derecha de nuestro cuerpo se reflejan en el pie derecho y los órganos que se ubican en la parte izquierda se reflejan en el pie izquierdo.

De la misma forma que hay órganos que por su ubicación se reflejan en ambos pies como el estómago o el aparato digestivo, también encontramos órganos o zonas que se reflejan por igual en ambos pies, como es el caso de la columna vertebral o la zona craneal.

Sería aconsejable que antes de iniciaros a hacer sesiones de

Reflexología memorizéis los puntos básicos y más importantes y que durante las primeras sesiones tengáis muy a mano el mapa de los pies adjunto en el libro.

Iniciaremos la sesión manipulando un solo pie, con lo que tendremos la precaución de tapar el otro con una toalla o una pequeña manta y así evitaremos que el pie que está en reposo se enfrie. Manipular un pie frio no es aconsejable ya que es más dificil de tratar y es menos receptivo, con lo cual, si esto sucede, haríamos un masaje para devolverle la temperatura. Al margen de los problemas que hemos conocido, debemos tener en cuenta que, un pie frío, para el paciente, puede ser causa de malestar y un impedimento para relajarse.

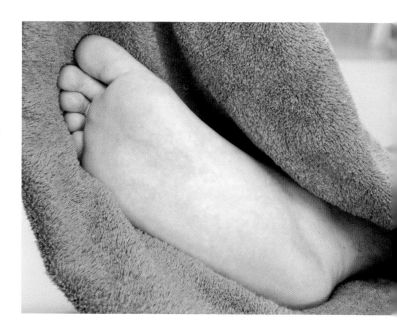

La técnica de exploración y búsqueda de puntos no es excesivamente difícil, no reside la dificultad en la forma de presionar y relajar el dedo que explora, sino sobre todo en el avance y rastreo del mismo. Este conjunto de manipulaciones las podríamos agrupar en tres apartados básicos:

1 Manipulaciones destinadas a explorar puntos o zonas afectadas u anormales.

2 Manipulaciones destinadas al tratamiento de puntos afectados.

3 Manipulaciones destinadas a sedar un dolor agudo de nuestro cuerpo.

Manipulaciones exploratorias

La mayoría de los puntos en los pies se hallan en zonas muy pequeñas y es por ello que deberemos dominar una técnica muy depurada para la exploración. Esta técnica la aplicaremos esencialmente con los dedos pulgares, ya que son los dedos mas móviles y potentes que tenemos en las manos. El único inconveniente que presenta el hecho de utilizar estos dedos es su mayor grosor con respecto al resto, pero es sin duda el más adecuado para la exploración, y con la práctica veréis que encontrareis incluso los puntos reflejos más pequeños en extensión de los pies.

En el video os presento unos ejercicios muy didácticos que podéis hacer para practicar y coger agilidad en los movimientos de la búsqueda de puntos.

La técnica

La técnica exploratoria con el pulgar la podríamos dividir en las siguientes fases: **Apoyo**, **Flexión**, **Relajación** y **Avance**.

Haremos la exploración con el dedo pulgar y una vez hayamos localizado el punto, procederemos a manipularlo o bien con el mismo dedo, con el dedo índice, con las herramientas que hayamos comprado para este fin o bien, con los útiles que nos hayamos fabricado.

▸ **Apoyo:** Apoyo de la yema del dedo sobre la superficie del pie.

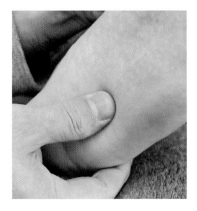

▶ **Flexión:** Flexión del dedo hacia adelante a la vez que presionamos con la punta del dedo, con la zona carnosa que hay por delante y debajo de la uña.

▶ **Avance:** Pequeño avance (milimétrico) del pulgar a la vez que lo haremos bascular ligeramente sobre la yema.

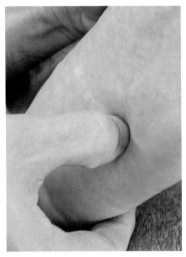

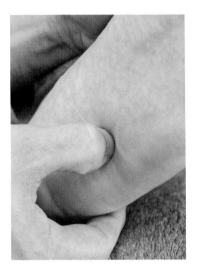

▶ **Relajación:** Relajación del dedo hasta volverlo a dejar en la fase de apoyo.

El resultante de esta técnica exploratoria es prácticamente un pulgar móvil con fases alternantes de presión y relajación y con un avance en sentido que va de la base hacia la punta del dedo pulgar.

Es aconsejable tener a mano la ficha del pie que tenéis al final de este capítulo del libro e ir anotando todos los puntos que vayan surgiendo para hacer después el tratamiento. En la primera exploración es posible que os aparezcan muchos puntos de dolor, es entonces cuando tenéis que hacer una pequeña criba de los puntos en los que os vais a centrar, siempre teniendo en cuenta el orden

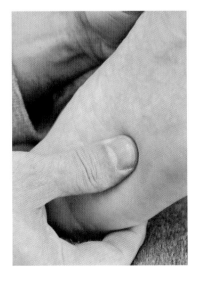

en el que empecemos a manipular los puntos del pie.

Haremos manipulaciones cortas de cada uno de los puntos y, si es necesario, varias pasadas por los puntos que estemos manipulando, siempre siguiendo el mismo orden.

A estas alturas de la sesión, nuestra conversación con el paciente ya nos ha de haber dado una idea de la dolencia de este último y empezaremos la exploración de la zona plantar con el dedo pulgar.

En caso de necesidad también podremos utilizar los demás dedos para la exploración, principalmente el índice y, en el caso que tengamos que hacer mucha presión, con la primera articulación del pulgar flexionado, haciendo la búsqueda

milimétricamente y de abajo hacia arriba.

Es recomendable empezar por la zona de la columna vertebral de abajo hacia arriba recorriéndola toda ella despacio hasta llegar a la zona de las cervicales.

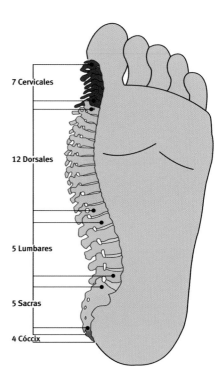

7 Cervicales

12 Dorsales

5 Lumbares

5 Sacras

4 Cóccix

Después seguiremos la exploración por el resto del pie, empezando por la zona blanda donde acaba el talón horizontalmente o subiendo en diagonal, en este caso ya en busca de las zonas que el paciente nos ha dado como la posible causa de su visita. Para hacer el tratamiento, se apoya el dedo pulgar sobre el punto reflejo del órgano afectado que hayamos localizado, y se va ejerciendo presión de forma circular en la zona profunda del tejido de manera que el paciente sentirá el dolor, siempre con precaución, recordemos.

Cuando hagamos la máxima presión sobre la zona profunda del tejido, se seguirá con el masaje circular, siempre observando la reacción del paciente. Con la manipulación del punto reflejo, la sensación de dolor tiende a aumentar o a disminuir dependiendo de la reacción del órgano afectado. Si la sensación de dolor va en aumento, bajaremos la intensidad del masaje, y si el efecto es el contrario, es decir, que vaya disminuyendo, iremos subiendo la intensidad del masaje.

Durante la exploración van a surgir puntos de dolor, esto nos indicará que hemos encontrado un punto reflejo que afecta a un órgano, ejerceremos presión poco a poco sobre la zona profunda del tejido, una vez tengamos seguridad de que estamos en la zona refleja, haremos presión a la vez que hacemos círculos con el pulgar sobre la zona de dolor siempre en el sentido de las agujas de reloj, aumentando la presión poco a poco, de manera que el dolor no resulte insoportable y haremos la presión ahora a la inversa, es decir, haciendo que la presión vaya disminuyendo.

Haremos esta operación varias veces hasta que el dolor disminuya o en su defecto desaparezca, teniendo en cuenta que el contacto del dedo pulgar sobre el pie no debe interrumpirse nunca.

Duración de la manipulación de los puntos

Si durante el tratamiento sobrepasamos la zona que estamos tratando, tocando otras zonas de alrededor, no hay problema ya que así tratamos de forma indirecta otros puntos. La duración y el ritmo de la manipulación del punto se basan en la reacción y tolerancia del paciente. Las zonas del pie se tratarán de forma milimétrica y no muy rápida.

La duración de la presión sobre los puntos de dolor puede variar entre varios segundos y varios minutos, lo aconsejable es que las manipulaciones de los puntos vayan desde un mínimo de un minuto a un máximo de tres, lo cual vendrá dirigido básicamente por el paciente.

Una vez hemos acabado la manipulación del punto, procederemos a efectuar un breve masaje sobre la zona tratada, para aportar sensación de relajación y bienestar y anular el recuerdo del dolor que ha podido soportar.

No siempre aplicaremos ni la misma dosificación de presión ni el mismo tiempo de tratamiento en el punto al mismo paciente en otra sesión, ya que estamos sujetos a modificaciones constantes en el estado individual del paciente y su equilibrio.

Exploración y orden de búsqueda

La pauta a seguir en la búsqueda de puntos para su posterior tratamiento sería:

▶ Iniciar la exploración en la zona de la columna vertebral.

▶ Exploración de zona plantar subiendo desde el talón en línea recta o de forma diagonal desde la zona interna del pie hacia la zona externa.

▶ Búsqueda de puntos en los dedos de los pies.

▶ Buscar en las zonas interna y externa del pie.

▶ Iniciar la búsqueda de puntos en la zona dorsal.

▶ Finalmente inicio de la búsqueda de puntos de la patología del paciente.

Modelo de ficha técnica de Reflexología, para que podáis anotar en ella vuestros datos o los de vuestros «pacientes», de forma que podáis realizar un seguimiento de la terapia. Tened en cuenta que no es recomendable tratar a fondo más de 6 puntos en la sesión.

FICHA TÉCNICA DE REFLEXOLOGÍA PODAL

FECHA:...

NOMBRE:...

EDAD:........................

CAUSA DE LA VISITA:

HISTORIAl:

PUNTOS LOCALIZADOS	PUNTOS TRATADOS
1.	1.
2.	2.
3.	3.
4.	4.
5.	5.
6.	6.
7.	
8.	
9.	
10.	

(NO ES ACONSEJABLE TRATAR MÁS DE 6 PUNTOS EN LA SESIÓN)

OBSERVACIONES:

PRÓXIMA VISITA:

FECHA:.......................................

NOMBRE:...

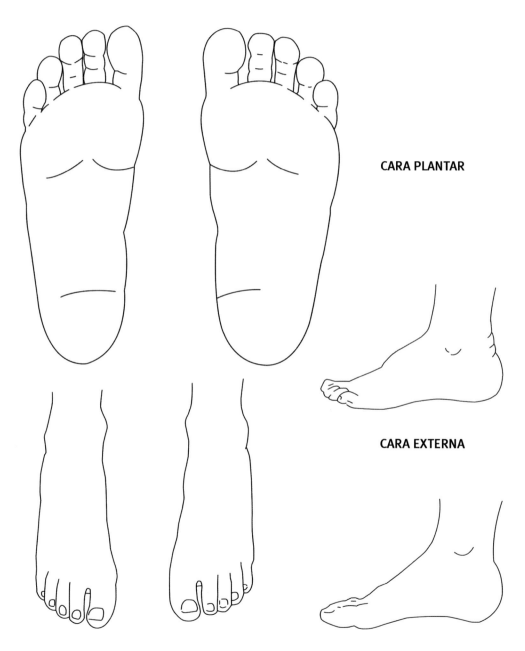

CARA PLANTAR

CARA EXTERNA

CARA DORSAL

CARA INTERNA

Mapa de las zonas reflejas

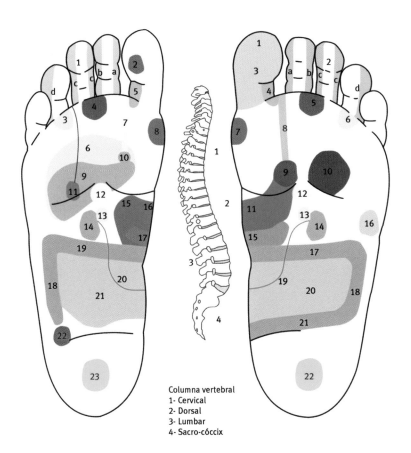

Columna vertebral
1- Cervical
2- Dorsal
3- Lumbar
4- Sacro-cóccix

1- Dentadura
   a: incisivos
   b: caninos
   c: premolares
   d: molares
   e: tercer molar
2- Hipófisis
3- Oído
4- Ojo
5- Amígdala
6- Pulmón
7- Tráquea
8- Tiroides
9- Hígado
10- Bronquios
11- Vesícula biliar
12- Plexo solar

13- Suprarrenal
14- Riñón
15- Píloro
16- Estómago
17- Páncreas
18- Colon ascendente
19- Colon transverso
20- Uréter
21- Intestino delgado
22- Apéndice
23- Área del bajo vientre
   (se refleja mejor en las caras
   laterales, debajo de los tobillos).

1- Bóveda craneal
2- Dentadura
   a: incisivos
   b: caninos
   c: premolares
   d: molares
   e: tercer molar
3- Base craneal
4- Amígdala
5- Ojo
6- Oído
7- Tiroides
8- Esófago
9- Cardias
10- Corazón
11- Estómago

12- Plexo solar
13- Suprarrenal
14- Riñón
15- Páncreas
16- Bazo
17- Colon transverso
18- Colon descendente
19- Uréter
20- Intestino delgado
21- Sigma
22- Bajo vientre
   (se refleja mejor en las
   caras laterales, debajo
   de los tobillos).

Mapa de las zonas reflejas

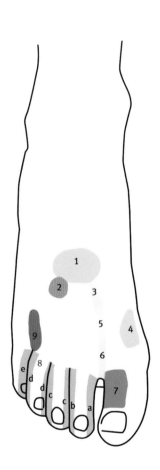

1- Mama
2- Vesícula biliar
3- Bronquios
4- Esternón
5- Tráquea-Esófago
6- Laringe
7- Cavidad buco-naso-faríngea
8- Dentadura
  a: incisivos
  b: caninos
  c: premolares
  d: molares
  e: tercer molar (muela del juicio)
9- Oído interno

1- Cardias
2- Mama
3- Esternón
4- Tráquea-Esófago
5- Cavidad buco-naso-faríngea
6- Dentadura
  a: incisivos
  b: caninos
  c: premolares
  d: molares
  e: tercer molar (muela del juicio)
7- Oído interno

Mapa de las zonas reflejas

1- Cervicales
2- Dorsales
3- Lumbares
4- Sacro-cóccix
5- Vejiga urinaria
6- Área del bajo vientre
7- Área genital
   a: útero o matriz (mujer)
   b: próstata
   c: testículo (hombre)
8- Ano-recto
9- Trompa de Falopio
10- Conducto inguinal
11- Pared abdominal
12- Pared torácica
13- Rodilla

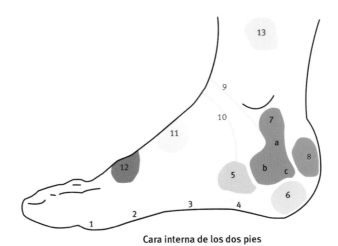

Cara interna de los dos pies

1- Ovario
2- Codo
3- Hombro
4- Dentadura
   a: muelas del juicio
   b: segundos molares
   c: segundos premolares
5- Pared abdominal
6- Pared torácica
7- Trompa de Falopio
8- Cadera

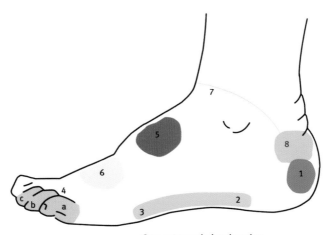

Cara externa de los dos pies

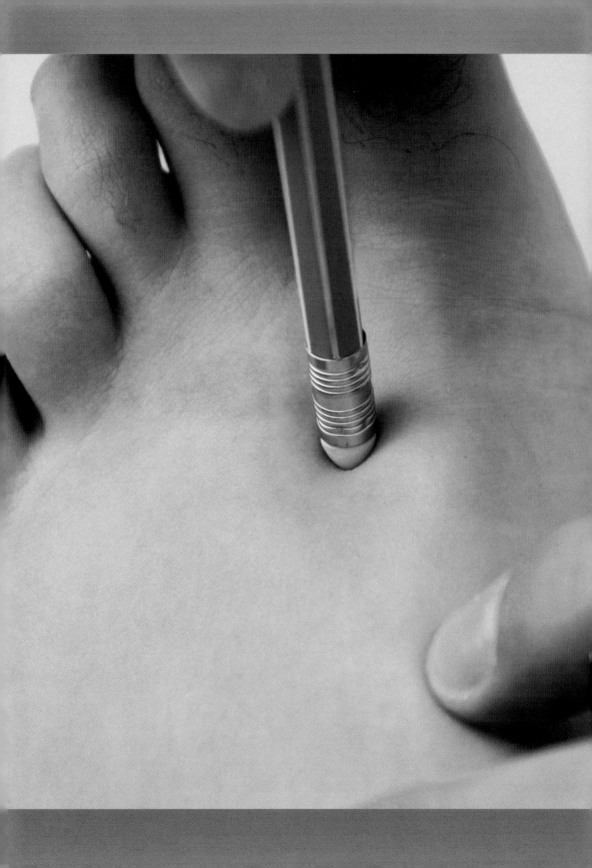

Tratamiento

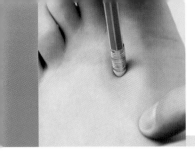

Las sesiones de Reflexología Podal

Como ya hemos indicado anteriormente es muy importante que el entorno del lugar donde vayamos a hacer las sesiones de Reflexología sea agradable y con un punto de música relajante.

Es aconsejable que hagamos las sesiones en nuestra consulta que ya tendremos habilitada para ello, pero si se da el caso de que tengamos que realizarlas en el domicilio del paciente, buscaremos un lugar tranquilo de la casa, con no demasiada luz y teniendo en cuenta tanto la comodidad del paciente como del terapeuta.

La experiencia me ha confirmado que, para que la sesión de Reflexología Podal sea mas placentera, el mejor lugar para realizarla será con el paciente sentado en un sofá o sillón y el terapeuta sentado en una silla delante de sus pies, a ser posible una silla baja. Pondremos un cojín en nuestras piernas y los pies sobre el cojín para poder iniciar el tratamiento. Tendremos la precaución de tener a mano todo lo necesario para no interrumpir la sesión en ningún momento, es decir, alcohol, una toalla y los instrumentos que

vayamos a utilizar para manipular los puntos.

Antes de iniciar la sesión procederemos a hacer un masaje en los pies con alcohol que nos ayudará a limpiar bien la zona, a la vez que haremos un masaje en todo el pie. Procederemos después a hacer unos estiramientos tanto en los dedos de los pies, zona plantar, flexión/extensión y rotación del tobillo.

milimétrica para no perder ningún posible punto que nos indique una patología interna. Tendremos que ser muy pacientes en esta primera exploración, ya que es la que nos va a ayudar a hacer una primera visión total del pie y esto nos va a indicar el estado real del paciente. Seguiremos como ya hemos detallado anteriormente por hacer el resto de la exploración, tanto en la zona plantar cono dorsal y

Las sesiones de Reflexología Podal propiamente dichas se inician normalmente con la exploración del pie del paciente como ya hemos detallado anteriormente, siempre hablando con el paciente y detallando cuáles son sus patologías a tratar.

Se empieza a explorar por la zona de la columna vertebral, siempre subiendo hacia el dedo gordo del pie mientras el paciente nos pone al día de sus problemas y patologías. La exploración se hace de manera

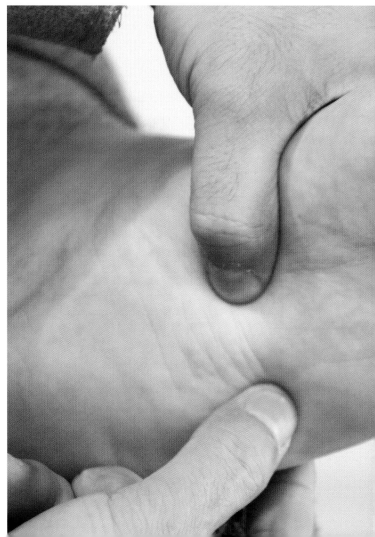

los laterales, tanto interno como externo.

FICHA TÉCNICA DE REFLEXOLOGÍA PODAL

FECHA: *22/05/2015*
NOMBRE: *Carlos*
EDAD: *15*
CAUSA DE LA VISITA:
Insomnio

HISTORIAL:

PUNTOS LOCALIZADOS	PUNTOS TRATADOS
1. *Riñones*	1. *Plexo Solar*
2. *Corrondes*	2. *Cabeza*
3.	3. *Columna vertebral*
4.	4.
5.	5.
6.	6.
7.	
8.	
9.	
10.	

(NO ES ACONSEJABLE TRATAR MÁS DE 6 PUNTOS EN LA SESIÓN)

OBSERVACIONES:

PRÓXIMA VISITA:

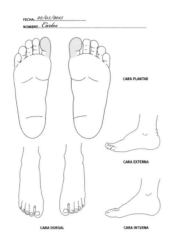

FECHA: *22/05/2015*
NOMBRE: *Carlos*

CARA PLANTAR

CARA EXTERNA

CARA DORSAL   CARA INTERNA

Tendremos siempre a mano una ficha técnica de los pies para ir anotando los puntos que vayan apareciendo y los iremos plasmando en la misma para hacer posteriormente una criba de los más importantes que trataremos en la primera sesión. Normalmente suelen aparecer muchos más puntos reflejos, los iremos anotando todos, si el paciente detecta en ellos el suficiente grado de dolor como para que nos indique que trata un órgano afectado.

Normalmente se empieza a hacer la primera exploración por el pie izquierdo, pasando luego a hacer la misma operación en el derecho, aunque es indiferente el orden con el que empecemos la exploración, a menos que la patología que estemos buscando corresponda a un pie en concreto, y en este caso será este el pie con el que iniciaremos la sesión. Con esta operación daremos por finalizada la primera exploración de los pies.

Cuando hayamos acabado la primera exploración de los pies, y con la ficha técnica de los puntos encontrados iniciaremos la primera sesión de Reflexología Podal.

En primer lugar haremos análisis de los puntos que hemos encontrado, aunque, claro está, con la patología que nos ha indicado el paciente, es decir, iniciaremos el tratamiento solamente de aquellos puntos que estén relacionados con el trastorno que vamos a tratar.

Tendremos en cuenta el grado de dolor que nos sea indicado a la hora de encontrar los puntos y es aquí cuando la experiencia de terapeuta es muy importante, ya que es en base a sus conocimientos lo que hará que el tratamiento sea el adecuado al problema que aqueja al paciente. En todo caso nunca nos debe dar miedo manipular un punto o varios de más aunque no estén relacionados con la patología, ya que si estos puntos nos han dado un alto grado de dolor es muy interesante haberlos encontrado y manipulado para poner en marcha el organismo y prevenir los posibles problemas que pudieran aparecer a causa de estos órganos afectados.

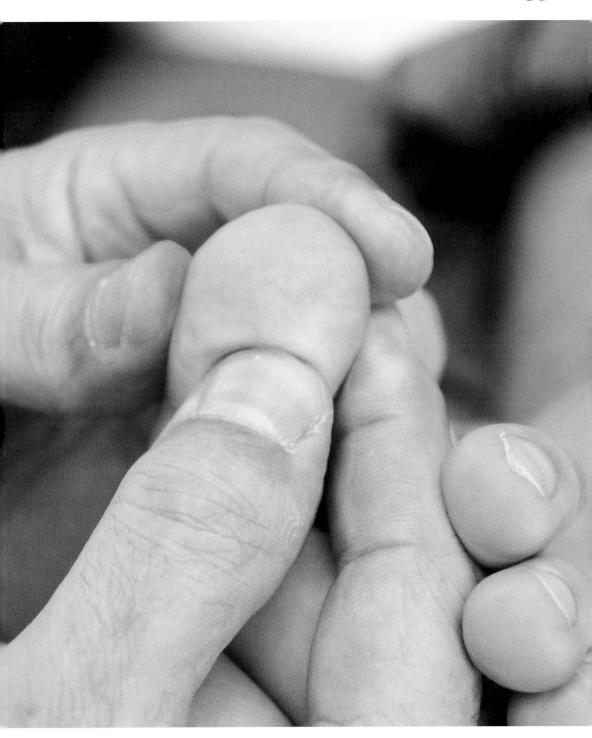

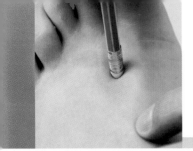

Auto-tratamiento

Aunque la de la Reflexología Podal es ante todo una técnica esencialmente para tratar a otras personas, obtendremos unos muy buenos resultados cuando nos la apliquemos a nosotros mismos, a pesar de que la relajación no es la más óptima para realizar la búsqueda de puntos y su tratamiento. La relajación que consigamos es siempre muy importante pues con ella la receptividad es la máxima. De todas formas, buscaremos para la técnica de auto-tratamiento la máxima comodidad para realizar las manipulaciones.

El auto-tratamiento es una técnica que, aunque la comodidad no sea la más adecuada para una relajación física, hace que nos sintamos más relajados mentalmente que en las sesiones de Reflexología Podal hacia los demás, ya que somos nosotros mismos los que buscaremos los puntos y los trataremos.

El protocolo para iniciar la sesión de auto-tratamiento es recomendable que sea siempre el mismo que en cualquier otra sesión.

Procederemos a hacer una limpieza exhaustiva de los pies, teniendo la precaución de secarlos bien, sobre todo en las zonas de entre los dedos. En días anteriores procuraremos hidratarlos bien, al mismo tiempo que procuraremos dejarlos limpios de duricias.

Recordemos que una buena higiene es la base para tener unos pies descansados y libres de infecciones y hongos.

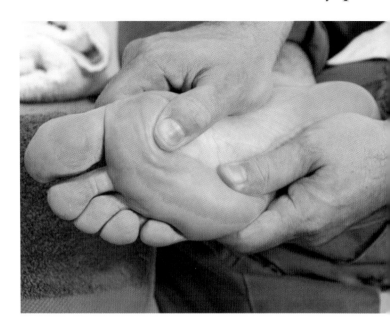

▶ Nos sentaremos en un sofá, en una silla o en la cama incorporados, buscando la máxima comodidad.

▶ Es indiferente el pie con el que empecemos, siempre que no estemos buscando un órgano en concreto, y si es el caso lo buscaremos en el pie correspondiente.

▶ Doblaremos la pierna y apoyaremos el pie sobre la pierna contraria, de manera que nos quede la planta del pie al alcance de las manos.

▶ Iniciaremos el tratamiento como ya será habitual con unos masajes descontracturantes tanto en la zona plantar como en el resto del pie.

▶ Cuando procedamos a estos auto-tratamientos, en los que somos nosotros mismos los que buscaremos los puntos y los manipularemos, las sensaciones que experimentemos serán siempre muy diferentes a las que hayamos podido sentir si nos han hecho algun tratamiento de Reflexología Podal. El terapeuta, aunque siempre buscará la máxima comodidad del paciente en cuanto al dolor en la manipulación de los puntos, cuando la manipulación y tratamiento de nuestros propios puntos esté solo en nuestras manos la situación será radicalmente diferente.

▸ La técnica para buscar los puntos a tratar en este caso no varía, es decir, iniciaremos la búsqueda de los puntos con el dedo pulgar y de forma milimétrica desde el talón y subiendo por la zona de la columna, pasando después a hacer una búsqueda de los puntos en el resto del pie siempre buscando el órgano afectado.

▸ Buscaremos siempre la máxima comodidad durante la sesión ya que dependiendo de nuestra elasticidad, puede resultar incomoda o producirnos rampas

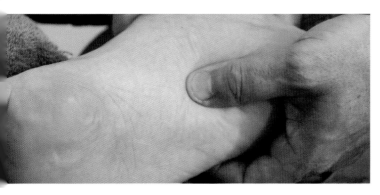
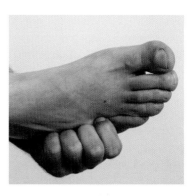
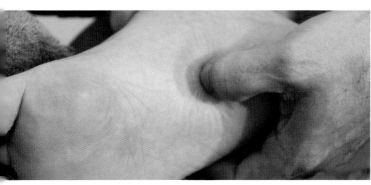

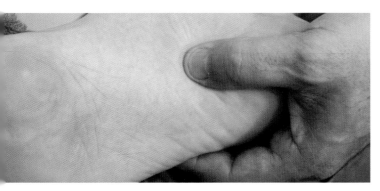
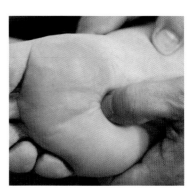

en el pie, así que si se da el caso haremos un descanso durante la sesión o pasaremos al otro pie para normalizar el estado del que estábamos tratando.

▶ Para acabar la sesión de Reflexología, haremos un masaje para relajar toda la zona tratada, teniendo especial cuidado sobre todo en las zonas donde hayamos manipulado algún punto, pasando después a hacer un masaje en todo el pie y de forma ascendente hasta los maléolos del tobillo.

Se recomienda que, igual que cuando tratamos a otra persona, realizar la ficha correspondiente para nosotros mismos, en la que anotaremos los puntos encontrados y los puntos tratados en la sesión de auto-tratamiento, para tener en cuenta en posteriores sesiones (ver modelo ficha pág. 59).

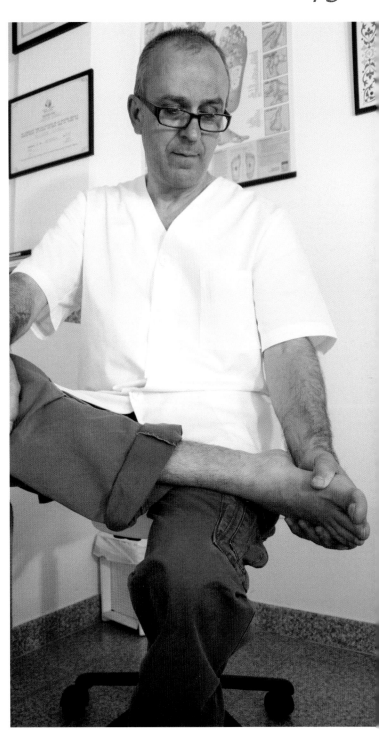

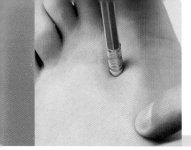

La Reflexología en los niños y bebés

Los niños y los bebés son extremadamente receptivos a la estimulación de las zonas reflejas del pie, su respuesta es muy rápida y siempre positiva. La aplicación de esta técnica nos va a ayudar a liberarlos de los pequeños problemas de tipo orgánico que puedan aparecer en estos primeros pasos por la vida, proporcionándoles las caricias y la atención que afiancen la relación padre/madre-hijo/hija.

La Reflexología Podal en los bebes es muy aconsejable para solucionar problemas de gases, otitis, estreñimiento o diarreas... En problemas de nerviosismo o angustia, por ejemplo cuando el niño vaya a empezar la guardería o el colegio, puede ayudar a aliviarle esos estados.

Si el niño experimenta una depresión, esta técnica le va a ayudar a recuperar la confianza perdida, a la vez que fortalecerá su salud general y así evitaremos numerosos trastornos.

Esta técnica en los bebés es aconsejable que su práctica sea realizada por sus padres, de esta manera se afianza la relación paterno-filial que, en el bebé durante los primeros años de vida, es esencial.

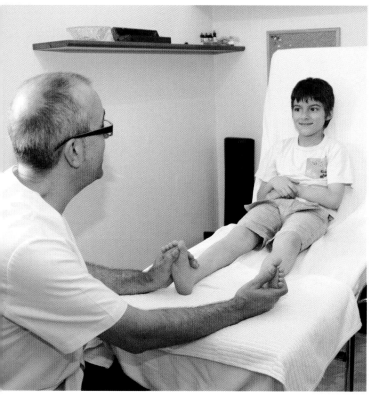

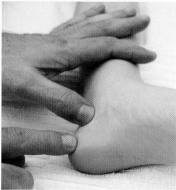

Con estas sencillas manipulaciones podremos ayudarle a armonizar y equilibrar las posibles alteraciones de su organismo y de esta manera mantenerlo en un buen estado.

Con esta técnica en nuestros hijos vamos a conseguir afianzar aún más nuestras relaciones con ellos y cuando el niño sea ya un poco mas grande los masajes de Reflexología pueden ser mutuos, terapia con la que el niño ira afianzándose en esta técnica que lo podrá llevar mas adelante a hacerse auto-tratamiento cuando tenga más soltura en esta práctica.

Ningún niño es demasiado pequeño para recibir los masajes de Reflexología Podal, aunque el pequeño tamaño del pie, a veces no más grande que nuestro pulgar, pueda parecer que dificulta nuestro trabajo.

Personalmente a esta técnica en los bebés y niños no me gusta llamarla Reflexología Podal, porque aunque así sea, creo que más que esta terapia propiamente dicha, se acerca más a una especie de masaje podal en el que sí manipulamos puntos reflejos, pero de una forma tan sutil y suave que bien podría ser llamada simplemente un masaje.

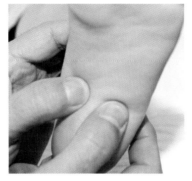

El bebé se acostumbra enseguida a que su padre/madre le trabaje el pie con cariño y amor. Es una técnica magnífica para calmar al bebé cuando llora sin motivo o tiene cólicos o estreñimiento.

Estas son algunas de las patologías en las que más y mejores resultados ofrece la terapia:

- ▶ Energía baja.
- ▶ Ansiedad.
- ▶ Insomnio.
- ▶ Trastornos del sistema digestivo.
- ▶ Trastornos del sistema urinario; infecciones urinarias, reflujo del riñón, cálculos renales, etc.
- ▶ Trastornos del sistema respiratorio; resfriados, gripe, asma, etc.

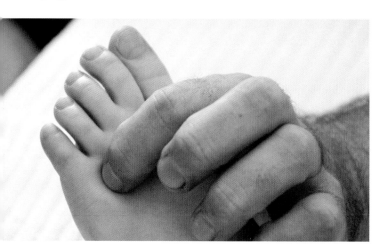

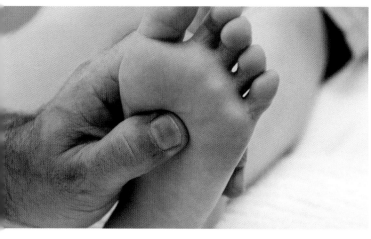

▸ Ayuda al organismo a reequilibrarse y auto-curarse.
▸ Estimula el sistema inmunológico.
▸ Promueve un buen descanso.

Tendremos en cuenta que los pies del bebé no son del mismo tamaño que los pies de un adulto y que los niños no nos van a indicar cuándo hemos encontrado un punto reflejo ni su intensidad, como un adulto haría, por lo que tendremos que estar bien atentos a cualquier señal y actuar al respecto.

También tendremos muy en cuenta la presión sobre los puntos que encontremos ya que no podemos esperar que los bebés o niños reaccionen al dolor. En los niños y los bebés es aconsejable no hacer una manipulación de los puntos ni profunda ni de larga duración, así pues realizaremos pasadas con la yema del pulgar en forma de masaje para los bebés y para los niños; este masaje requerirá un mínimo de presión.

Por lo general los niños asimilan muy fácilmente la Reflexología, les gustará recibirla y les dará un sentimiento de seguridad.

Cuando hagamos un masaje debemos confiar en la capacidad de respuesta del organismo, la Reflexología es una de las terapias más efectivas.

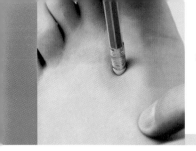

Tratamientos
más comunes

Sin duda la Reflexología Podal es un tratamiento prácticamente indoloro, sin apenas efectos secundarios y sin necesidad de medicación y que además es muy efectivo para prevenir un amplio abanico de enfermedades o dolencias.

Es también una fórmula óptima para ayudarnos en el día a día, el ritmo de vida que llevamos hoy es causa de gran estrés, y esta es una técnica que nos va a ayudar rebajarlo o incluso eliminarlo.

La terapia no solo está indicada para enfermos, también las personas sanas pueden disfrutar de ella, mejorar su calidad de vida y fortalecer su organismo para enfrentarse de una forma mucho más potente a cualquier enfermedad, ya que armoniza las funciones corporales y energéticas y refuerza nuestras defensas. Naturalmente está también indicada para la mayoría de problemas orgánicos, como tratamiento o complemento de curación.

La Reflexología está indicada para una gran diversidad de patologías como todo tipo de alteraciones psicosomáticas, depresión y estrés. También podemos recurrir a esta terapia para solucionar trastornos motores como problemas vertebrales, articulares, musculares o reumáticos. Podemos recurrir a la Reflexología Podal para solucionar problemas metabólicos, desarreglos hormonales o deficiencias respiratorias. Aunque parezca difícil de creer, también podemos tratar problemas nerviosos, alergias, enfermedades degenerativas, insuficiencias respiratorias y pre o post-cirugía.

A través de los años, de la evolución y de los resultados obtenidos durante toda su existencia, esta terapia conocida como Reflexología Podal se ha situado entre las técnicas más importantes en el campo de las llamadas terapias alternativas.

Tratamientos muy efectivos:

La Reflexología Podal será muy efectiva en los casos de:
- Migrañas.
- Enfermedades respiratorias.
- Estreñimiento.
- Problemas de circulación.
- Piernas pesadas.

Sin olvidar que ayuda a relajarse y ofrece sensación de bienestar para el cuerpo y la mente.

Otros tratamientos:

Aplicando Reflexología en el reflejo del sistema reproductor se puede tratar:

- ▶ Impotencia sexual.
- ▶ Menstruaciones irregulares o dolorosas.
- ▶ Prostatitis.
- ▶ Menopausia.
- ▶ Inflamación pélvica.
- ▶ Hidrocele.
- ▶ Varicocele.

Es muy beneficioso en el funcionamiento de:

- ▶ Ovarios/testículos.
- ▶ Útero/próstata.
- ▶ Conductos deferentes.
- ▶ Glándulas mamarias.

Aplicando Reflexología en el reflejo del sistema cardio-circulatorio se puede tratar:

- ▶ Debilidad del sistema inmunitario.

Muy beneficioso en el funcionamiento de:

- ▶ Corazón.
- ▶ Bazo.
- ▶ Zona linfática del corazón.

Aplicando Reflexología en el reflejo del aparato digestivo se puede tratar:

- ▶ Desarreglos gastrointestinales.
- ▶ Halitosis.
- ▶ Inflamación de encías.
- ▶ Úlcera gástrica.

- ▶ Colitis.
- ▶ Estreñimiento.

Muy beneficioso en el funcionamiento de:

- ▶ Esófago.
- ▶ Cardias.
- ▶ Estómago.
- ▶ Píloro.
- ▶ Duodeno.
- ▶ Páncreas.
- ▶ Hígado.
- ▶ Intestinos.
- ▶ Vesícula biliar.
- ▶ Apéndice.
- ▶ Válvula ileocecal.
- ▶ Recto, ano.

Aplicando Reflexología en el reflejo del sistema óseo-muscular se puede tratar:

- ▶ Artrosis.
- ▶ Tortícolis.
- ▶ Osteoporosis.
- ▶ Dorsalgia.
- ▶ Lumbalgia.
- ▶ Citalgia.
- ▶ Escoliosis.

Muy beneficioso en el funcionamiento de:

- ▶ Articulaciones.
- ▶ Huesos.
- ▶ Músculos.

Aplicando Reflexología en el reflejo del sistema linfático o circulación linfática se puede tratar:

- ▶ La retención de líquidos
- ▶ Fortalecer las defensas

Tratamientos más frecuentes:

En este apartado os presento los tratamientos más frecuentes con los que seguramente os tendréis que enfrentar con más asiduidad.

Con el mapa de los pies que tenéis en el libro para localizar los puntos reflejos y los datos que os aporto en cada uno de los tratamientos, podréis encontrar y manipular, de forma sencila, puesto que ya sabéis su técnica, los puntos reflejos que se corresponden con nuestro organismo y de esa forma realizar de forma correcta el tratamiento.

Es aconsejable a la hora de manipular los puntos, que si localizáis algún otro punto cercano a la zona tratada, que no dejéis de tratarlos de la misma forma, ya que posiblemente tengan que ver con la patología que estamos tratando en ese momento.

Tratamientos más comunes y su localización

Afonía
Laringe, amígdalas, plexo solar.

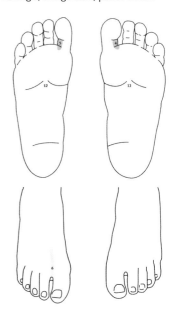

Alitosis
Estómago, intestino delgado, intestino grueso.

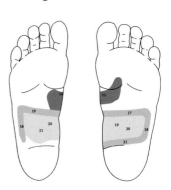

Apetito

Aparato digestivo, plexo solar, bazo.

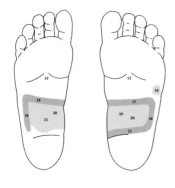

Ciática

Riñón, vejiga, lumbares, sacro, plexo solar.

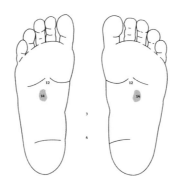

Cálculos en el riñón

Riñón, vejiga, aparato reproductor, plexo solar.

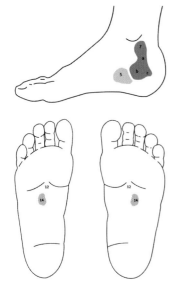

Colitis

Aparato digestivo, tráquea-esófago.

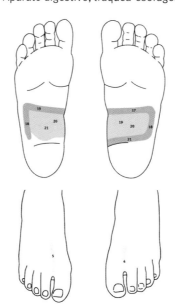

Dolor de cabeza

Zona craneal, columna vertebral, plexo solar.

Equilibrio

Cabeza, riñón, oído interno, cervicales.

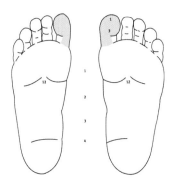

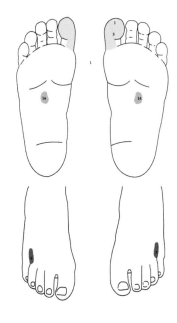

Dolor de menstruación

Aparato reproductor, plexo solar.

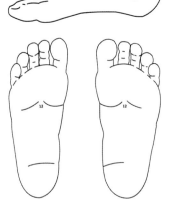

Estreñimiento

Aparato digestivo, ano recto, plexo solar.

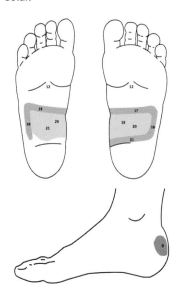

Faringitis
Pulmones, garganta, cuello.

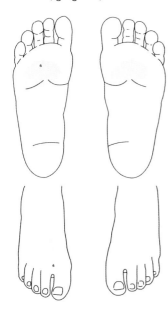

Insomnio
Plexo solar, cabeza, columna
vertebral.

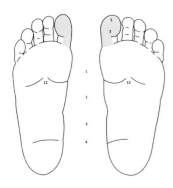

Vértigo
Oído, cabeza, riñón, hígado.

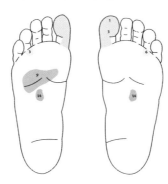

Vómitos
Aparato digestivo, bazo.

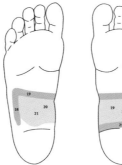
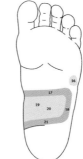

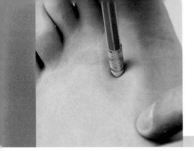

La Reflexología
en las manos

En este apartado os aportaré unas ideas básicas para que podáis practicar la Reflexología en las manos, una técnica que como os he explicado anteriormente no es tan conocida ni utilizada, ya que las manos son una de las herramientas que más utilizamos en nuestro día a día, y por eso la búsqueda y manipulación de los puntos se hace a veces más difícil.

Para una buena práctica de la Reflexología tanto en los pies como en las manos, la base siempre es la misma, empezar por una buena higiene, asimismo procuraremos tener las uñas cortas. Si lo que vamos a hacer es un auto-tratamiento, estas medidas no serán tan importantes.

Por la comodidad para la práctica, respecto a la podal y su facilidad de tratamiento, lo más seguro es que esta técnica de Reflexología la utilicéis para practicaros un auto-tratamiento.

A estas alturas del libro ya sabréis cómo buscar y manipular los puntos reflejos y en lo que respecta a las manos, se utiliza la misma técnica.

Una buena forma de tener las mamos preparadas para las manipulaciones y exploraciones de los puntos reflejos es, una vez en perfectas condiciones de higiene, frotarlas enérgicamente la una contra la otra hasta conseguir que las manos se enrojezcan a causa de la fricción, con esta técnica conseguiremos principalmente dos objetivos básicos que nos ayudarán a la hora de practicar la Reflexología y que son:

▶ No tener necesidad de utilizar ningún aparato o producto químico y conseguir el objetivo de forma natural y sana, de forma que no fallaremos en la filosofía que rige cualquiera de las terapias alternativas o naturales.

▶ Conseguiremos una irrigación masiva de sangre en las manos, lo que las dejará mucho más receptivas.

De la misma forma que en los pies, en las manos se reflejan todos los órganos de nuestro cuerpo, si dividimos nuestro organismo en dos, los órganos se corresponderán por igual a la mano que está en el mismo lado, a excepción de los grandes órganos como son el sistema digestivo, el estómago, etc., que se reflejan por igual en ambas manos.

Lo mismo pasa con la zona craneal y la columna vertebral, se reflejan en ambas manos.

Debemos tener en cuenta la diferencia física que existe entre los pies y las manos a la hora de localizar los puntos de Reflexología, es decir, tendremos en cuenta que los dedos de las manos son más largos, y es por ello que el área de influencia de los puntos que aparecen en esta zona con respecto a los pies será siempre más grande y las zonas del tronco aparecerán más condensadas y se superponen al ser la zona en las manos más pequeña.

Desde el punto de vista de la eficacia a la hora de tratar los puntos reflejos, siempre tendrán mayor eficacia en los pies, ya que hay una mayor zona carnosa y las manipulaciones resultan más efectivas tanto para el terapeuta como para el paciente.

Las grandes ventajas que podremos encontrar en el tratamiento de la Reflexología en las manos sobre la de los pies es que, como mencioné al incio, nos facilita mucho el trabajo en el auto-tratamiento, asimismo podemos aplicárnoslo en cualquier sitio, paseando, en el autobús o viajando en el tren, no hay limitaciones en cuanto al lugar en el que nos practiquemos esta terapia.

En cuando a su práctica hacia otra persona, esta será muy aconsejable cuando encontremos problemas para realizarla en los pies, como pudieran ser edemas, infecciones en la piel, problemas vasculares, etc.

Cuando estéis tratando las manos a otra persona, una de las diferencias que encontraréis con respecto a los pies y se os hará más evidente es el tamaño y la falta de rigidez de las mismas, a la hora de manipular los puntos reflejos, mientras que en cuando manipulamos los pies, estos permanecen más rígidos y quietos, los pies no se acoplan a los movimientos que el dedo realiza en la zona, entretanto que las manos sí, se cierran y se amoldan a él.

La técnica para la exploración y manipulación de los puntos en las manos en estos casos no las diferenciaríamos de la técnica que aplicamos en los pies y seguiremos los mismos pasos que ya os he explicado anteriormente.

Para que podáis empezar a hacer unas buenas manipulaciones de las manos es aconsejable que tengáis siempre presente el mapa que os adjunto en el libro para, de esta forma, tener clara la representación y localización de los órganos que se representan en ellas y los podáis encontrar sin demasiada dificultad.

Dependiendo de la patología que estemos tratando, empezaríamos la exploración siempre por la zona de la columna desde la parte baja de la palma y subiendo, hasta casi

el final del dedo pulgar en su zona externa, que es donde se localizaría la columna.

Continuaríamos después la exploración en la zona palmar y subiendo de la forma que en este caso consideréis más conveniente, es decir, desde la zona del dedo pulgar subiendo en línea recta hacia arriba o de forma diagonal hasta el nacimiento del dedo meñique.

Si el tratamiento lo estamos aplicando a otra persona, tendremos la precaución de ir anotando los puntos que vayan surgiendo para su posterior manipulación y siguientes sesiones. En el caso que sea un auto-tratamiento, después de la sesión de Reflexología procuraremos hacer unos ejercicios de estiramientos de los dedos, unos masajes con la otra mano en la zona palmar para acabar si es posible con una buena crema hidratante para tener las manos a punto para seguir con nuestra vida diaria y que permanezcan en perfecto estado.

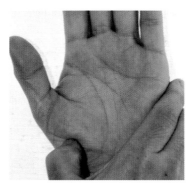

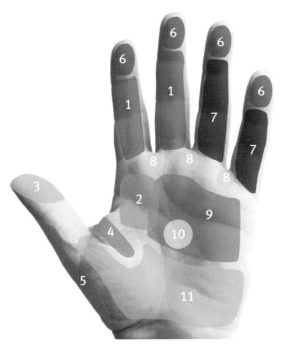

1- Ojos
2- Estómago
3- Cerebro
4- Bronquios
5- Columna vertebral
6- Senos de la cara
7- Orejas
8- Vías linfáticas superiores
9- Pulmones
10- Plexo solar
11- Región del intestino
    delgado y del colon

1- Ojos
2- Estómago
3- Cerebro
4- Bronquios
5- Columna vertebral
6- Senos de la cara
7- Orejas
8- Vías linfáticas superiores
9- Hígado
10- Vesícula biliar
11- Plexo solar
12- Región del intestino
    delgado y del colon

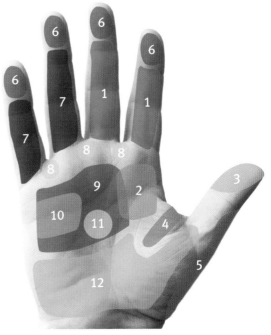

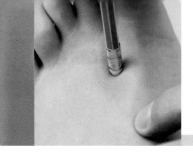

Masaje relajante

Habitualmente lo más agradecido de la Reflexología, desde el punto de vista del paciente/cliente y sin ser aún consciente de los beneficios que ha obtenido con la sesión, es sin duda el masaje relajante.

Este masaje se aplica al final del tratamiento, con él se contribuye a que la Reflexología finalice de modo agradable, al mismo tiempo que obtener los beneficios de cualquier masaje puede proporcionarnos activación de la circulación sanguínea, estimulación de la piel, hidratación, eliminación de acumulación de líquidos y toxinas, relajación...

No debemos olvidar que una sesión de Reflexología Podal es una sesión no demasiado agradable ya que se sufre algún momento de dolor según el punto que se ha manipulado, con lo que es de agradecer que se acabe de una forma mas placentera.

Para realizar este masaje, lo primero que debemos hacer es limpiar los pies con alcohol para que no queden residuos de crema o aceite utilizados anteriormente en la terapia.

Se recomienda utilizar una crema o aceite cuyo aroma o propiedades aromáticas sean relajantes, pero cualquier crema o aceite neutro; si no disponemos de ello, será suficiente siempre que permita una perfecta hidratación.

El masaje se realiza de forma firme, para evitar hacer cosquillas en esta zona del cuerpo ya que los pies son muy propensos a ellas. Nuestro propósito es relajar y proporcionar alivio y así, con un masaje firme, lo conseguiremos. Llegados a este punto podemos ampliar la zona del masaje hasta llegar hasta la zona de la rodilla, ya que la zona de los gemelos es una parte que agradacerá vuestras manipulaciones.

Delimitaremos la zona en:

▶ Planta de los pies.
▶ Talón.
▶ Zona superior o empeine.
▶ Dedos.
▶ Tobillos.
▶ Tibia.
▶ Gemelos.
▶ Rodilla, zona superior e inferior.

El masaje se realizará siempre y en todo momento en dirección ascendente.

Procederemos al masaje de la siguiente forma:

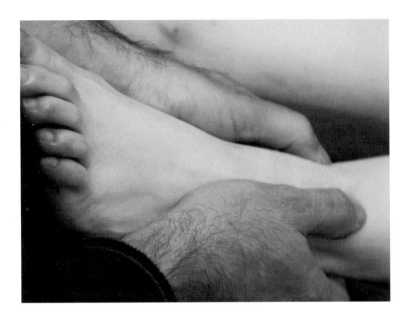

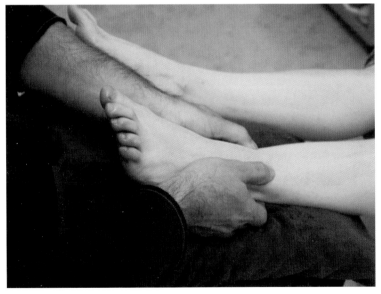

1 Colocaremos las manos a ambos lados de los pies (como se puede observar en la imagen) y le pediremos al paciente/cliente, que deje en nuestras manos sus pies, que no realice ningún tipo de fuerza ni pretenda ayudar, el terapeuta será quien dirija y mueva según sea necesario para que el masaje sea perfecto.

2 Esparciremos la crema o el aceite primero por todo el pie, entre los dedos, por los tobillos y la pierna, hasta llegar a la rodilla, con ambas manos.

3 En primer lugar y después de haber distribuido correctamente la crema por toda la zona, practicaremos un masaje de manera circular en los tobillos, con los pulgares.

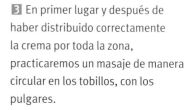

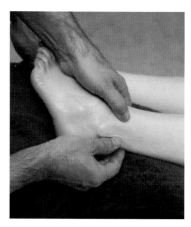

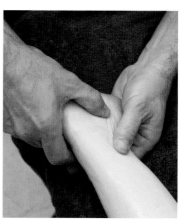

4 Seguiremos el recorrido de forma ascendente, por la pierna y con ambas manos, con los pulgares recorriendo la parte delantera de la pierna y con el resto de la mano y dedos, por los gemelos, hasta llegar a la rodilla. Una vez llegado al punto de la parte posterior a la rodilla (zona poplitea), nos detendremos para manipularla suavemente ya que no es recomendable ejercer presión.

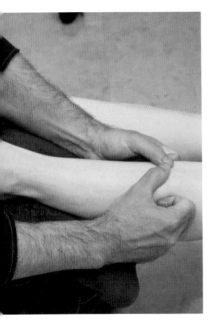

5 Realizaremos el recorrido, siempre de forma ascendente, tantas veces como creamos necesario. Si la sesión ha sido

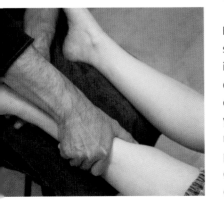

dolorosa, nos emplearemos más tiempo en el masaje relajante de la zona de los pies.

Para acabar podemos realizar unos estiramientos en los pies y dedos con lo cual devolveremos la eleasticidad y un perfecto estado.

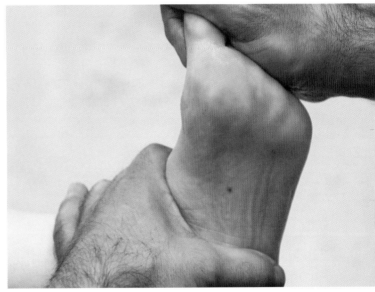

Una vez hayamos acabado el masaje, nos preocuparemos del secado de toda la zona.

Es importante detenerse en el secado para evitar molestias, la incomodidad de tener los pies demasiado hidratados dentro del calzado supone malestar y facilidad de sufrir posibles resvalones durante la vuelta del paciente a casa. Lo recomendable es practicar el secado con alcohol, ello ayudará a eliminar los restos de aceite o cremas utilizados en el masaje.

No es imprescindible haber practicado o recibido una sesión de Reflexología para poder gozar de un masaje en los pies. Estos podemos recibirlos o aplicarlos en cualquier momento y lugar, cuando exista cansancio, dolor o simplemente ganas de relajarse.

También podemos obtener tantos beneficios como con el masaje relajante de muchas otras formas, dando un paseo descalzos por la arena, caminando sobre un fresco y verde césped, dejando que nuestros pies reciban las olas del mar…, esta última práctica, además de ofrecernos los beneficios de la arena con la estimulación de nuestros puntos reflejos, obtendrá las propiedades terapéuticas del agua del mar, frescor, sal y agua, masaje completo y perfecto para devolver a nuestro organismo salud y bienestar.

Para terminar

Basándome en mi experiencia, que no es nada más ni nada menos que la suma de los conocimientos que adquirí en su momento cuando me formé en esta terapia y junto con los que he ido adquiriendo día a día durante la práctica y vista de resultados de mis pacientes; he querido ofreceros este trabajo para transmitiros, en primer lugar, mi satisfacción total con la Reflexología Podal y, en segundo lugar, haber podido mostraros que con alguna sencilla base y un poco de práctica, vosotros podéis ayudar a vuestra familia, amigos y a vosotros mismos a solventar algunos pequeños problemas o molestias cotidianos que en algún momento nos privan de sentirnos sanos y felices.

Quisiera, ante todo, volver a remarcar y dejar claro que para ser un terapeuta y dedicarse a ello con entera disposición es necesario formarse por profesionales y obtener el título que os acredite para ejercer de refexólogo, aquí y con este trabajo, solo os muestro una pequeña parte con la cual sí que podéis empezar a practicar realizándoos un auto-tratamiento, creando vuestras propias herramientas, creando vuestras

fichas y así ya poder regalar bienestar a los más allegados.

A esta altura del libro ya sabéis el sinfín de beneficios que obtenemos con la Reflexología pero también es necesario que tengáis en cuenta las contraindicaciones, que son escasas, sí, pero debéis tener las en cuenta cuando vayáis a realizar «vuestra sesión».

Con la Reflexología, he podido experimentar tremendos y espectaculares resultados en dolencias que nos impiden sentirnos sanos. En algunas ocasiones, un simple dolor de muelas puede hacernos estar irritados, tristes y sin ánimo, pero esta terapia, sin duda, puede ayudaros y devolveros la alegría y la sensación de bienestar, motivos que os harán sentir felices.

Deseo que aprendáis, que muchos de vosotros podáis unir y afianzar vínculos con vuestros hijos mediante los masajes podales de los cuales os he hablado en el libro y os he mostrado en el vídeo, que con ello les ayudéis a sonreir, les ayudéis a curar o al menos a pasar mucho mejor algunas pequeñas dolencias que tanto a ellos como a vosotros os hacen sentir mal,

que podáis disfrutar sabiendo que les estáis haciendo un bien y que además les ofrecéis vuestro amor.

Cuando me propusieron realizar este trabajo, no dudé en decir que sí, porque de esta forma sé que puedo ayudar transmitiendo mi experiencia y mis vivencias con la Reflexología Podal y, a través de vosotros, a muchas más personas de las que nunca hubiese imaginado, por todo ello, debo daros las gracias y, con ellas, mis mejores deseos y que os ayude tanto como me ha ayudado a mí, dándoos un sifín de satisfacciones.

Muchas gracias y hasta siempre.

Víctor Viñas

Bibliografía

La respuesta está en los pies. Dr. Frederic Viñas. Editorial Integral.

Reflexología y Digitopuntura. Janet Wright. Editorial Círculo de Lectores.

Manual de Medicina Natural. Dr. Miguel Pros, director y coordinador; Dr. Frederic Viñas, colaborador. Ediciones Temas de hoy.

Es propiedad
© **Esther Blanes,** cesionaria de los derechos del autor **Víctor Viñas**
www.elmundodelasterapias.com

© de la edición en castellano, 2010:
Editorial Hispano Europea, S. A.
Primer de Maig, 21 - Pol. Ind. Gran Via Sud
08908 L'Hospitalet - Barcelona, España
E-mail: hispanoeuropea@hispanoeuropea.com
Web: www.hispanoeuropea.com

Depósito Legal: B. 34490-2010

ISBN: 978-84-255-1953-6

Consulte nuestra web:
www.hispanoeuropea.com

Impreso en España
LIMPERGRAF, S. L.
Mogoda, 29-31 (Pol. Ind. Can Salvatella)
08210 Barberà del Vallès